JN214514
名探偵
めいたんてい
コナン
世紀末の魔術師

怪盗キッドから届いた
犯行予告に
記されていた暗号…

黄昏の獅子から暁の乙女へ
秒針のない時計が12番目の文字を刻む時
光る天の楼閣から
メモリーズ・エッグをいただきに参上する

世紀末の魔術師
怪盗キッド

狙われたのは
ロマノフ王朝の秘宝、
インペリアル・イースター・エッグ…

中には黄金で作られた
ニコライ皇帝一家の模型が!!

キッドの予告状の暗号

動き始めたキッド…
暗号の意味に気づいた
コナンだったが!?

すんでのところで
キッドを取り逃がしてしまう…

あとを追うコナンの
目の前で狙撃され、
海に落ちたキッドは…!?

エッグを狙う人々が…

エッグの製作者のひ孫、
香坂夏美がもたらした図面…

エッグが二つあると
推理したコナンだったが…

ロシアの血を引く
夏美と、
ロマノフ王朝研究家の中国人、
浦思青蘭…

同じく灰色の瞳を持つ
二人の女性の関係は…!?

一方、蘭は…
コナンが新一ではないかと
思い悩む…

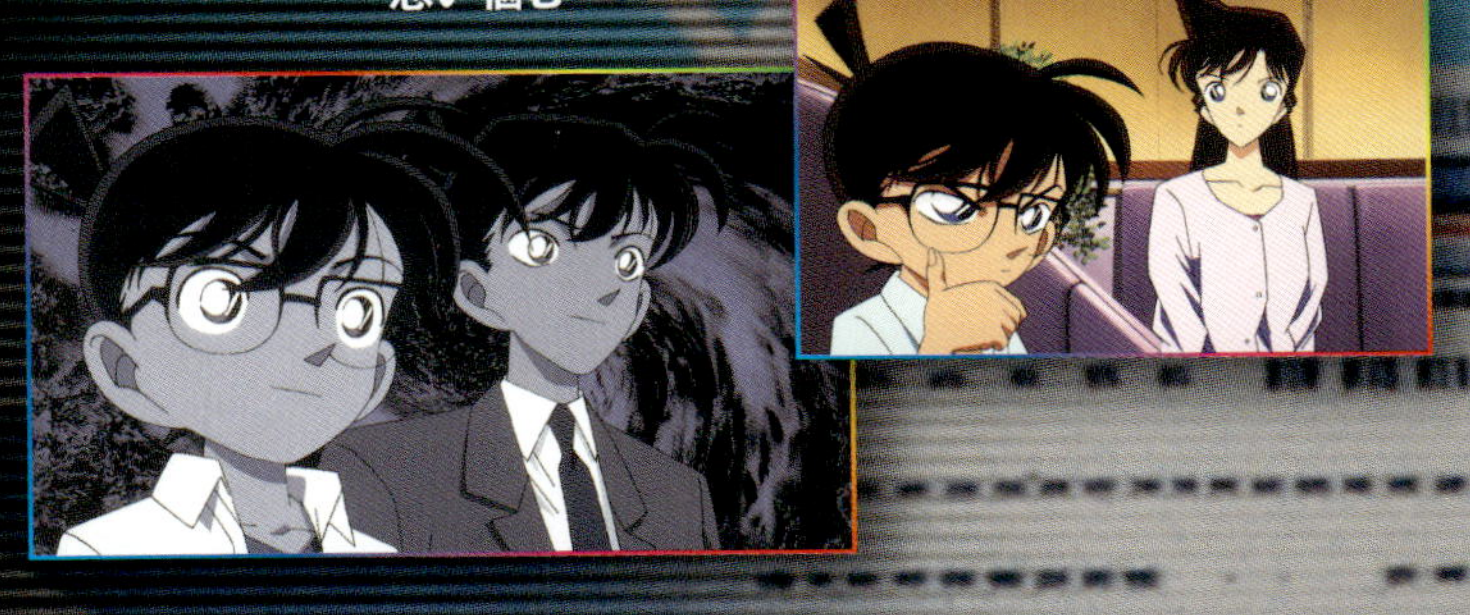

「もしかして、
やっぱりコナンくんは…」

そんな中、
殺人事件発生!!
犯人は標的の右目を
撃ち抜く怪盗、
スコーピオン!?

に隠された秘密とは!?

エッグの製作者、
香坂喜市の部屋には、
ラスプーチンと
写った写真が…

仕掛けられた
さまざまなカラクリの
先には…!?

カラクリだらけの古城

城の外を探索していた灰原たちは、
突然開いた穴に…!!

「まさに… 世紀末の魔術師の
名に相応しい…」

城の地下を進むコナンたちの前に
立ちはだかるのは!?

その先に隠された真実とは!?

CHARACTERS
江戸川コナン
(工藤新一)
Conan Edogawa
毛利 蘭
Ran Mōri
怪盗キッド
KID the phantom thief
灰原 哀
Ai Haibara
遠山和葉
Kazuha Tōyama
毛利小五郎
Kogorō Mōri
服部平次
Heiji Hattori

名探偵コナン

世紀末の魔術師

水稀しま／著

青山剛昌／原作　古内一成／脚本

★小学館ジュニア文庫★

オレは高校生探偵、工藤新一。

幼なじみで同級生の毛利蘭と遊園地に遊びに行って、黒ずくめの男の怪しげな取り引き現場を目撃した。

取り引きを見るのに夢中になっていたオレは、背後から近づいてくるもう一人の仲間に気づかなかった。オレはその男に毒薬を飲まされ、目が覚めたら——体が縮んで子どもの姿になっていた!!

工藤新一が生きていると奴らにバレたら、また命を狙われ、周りの人にも危害が及ぶ。だからオレは、阿笠博士の助言で正体を隠すことにした。

蘭に名前を訊かれてとっさに『江戸川コナン』と名乗り、奴らの情報をつかむために、父親が探偵をやっている蘭の家に転がり込んだ。

蘭の父親、毛利小五郎——人呼んで『眠りの小五郎』。その訳は、オレが『腕時計型麻酔銃』でおっちゃんを眠らせ、『蝶ネクタイ型変声機』を使って、おっちゃんの声で事件を解いているからだ。

この二つのメカは阿笠博士の発明品だ。阿笠博士はああ見えても結構天才で、他に『ターボ付きスケートボード』や『犯人追跡メガネ』『キック力増強シューズ』など、次々とユニークなメカを作り出してくれる。特にスケボーは、昼間充電しておけば、夜でも30分だけ動くよう改良してくれた。

ところで、オレの正体を知っている者が、阿笠博士の他にもう二人いる。西の高校生探偵、服部平次。そして、転校生の灰原哀。

彼女は黒ずくめの組織の科学者で、オレが飲まされた毒薬『アポトキシン4869』の開発者。だが、姉を殺されたことから、組織に反抗。命を絶つため、その薬を飲んだところ、体が縮んでしまった。今は奴らの目から逃れるため、阿笠博士の家に住んでいる。

奴らの組織を追いながら、オレは次々と起こる難事件に立ち向かっている。

そして今、新たな好敵手が……。

混迷と疑惑の闇に一条の光を。小さくなっても頭脳は同じ。迷宮なしの名探偵。真実はいつも一つ！

1

夏休みに入ったある日の夜。

コナンの同級生の吉田歩美は、自宅のリビングで一人、ドラキュラの映画を観ていた。

棺の中で眠っていたドラキュラは、コウモリに変身して、満月の夜空を飛んだ。そして、美女が眠る部屋のバルコニーに降り立った。元の姿に戻ったドラキュラは、その端正な口元から牙を覗かせる――。

ドラキュラが美女に近づいていき、歩美は思わずソファから身を乗り出した。すると、キッチンにいたお母さんがやってきた。

「歩美ちゃん、寝る時間よ。お風呂入りなさい」

「もう少し。今いいとこ……」

「明日プールあるんでしょ」

「はーい……」

歩美は仕方なくソファから降りて、浴室に向かった。

歩美がお風呂に入っている頃、米花町では赤色灯をつけた複数のパトカーが、サイレンを鳴らして猛然と何かを追跡していた。

お風呂から出た歩美は、自分の部屋に行き、ベッドに入った。

歩美の家は高層マンションの28階にあり、ベランダに吊るしたままのピンチハンガーが風に揺れて、カチャカチャと音を立てる。

「ん……」

自分の部屋で寝ていた歩美は、風の音で目を覚ました。窓からカーテン越しに月明かりが差し込み、窓枠のシルエットが床に映し出されていた。その真ん中に、マントのような長い裾をなびかせた人影が浮かび上がっている。

歩美はベッドから起き上がり、窓に近づいた。カーテンを開けると、ベランダの手すりに誰かが立っていた。驚いて窓を開け、ベランダに出る。

大きな満月の光を浴びた人物は、純白のタキシードにマントを羽織り、シルクハットを被っていた。振り返った顔には、クラシカルな片眼鏡が掛かっている。

その紳士のような出で立ちは、さっき見た映画のドラキュラによく似ていた。

「あなた、誰？　ドラキュラさん……？」

歩美がたずねると、その人物は「いや」と言って、手すりからベランダに飛び降りた。そして歩美の前で片膝をつく。

「飛び続けるのに疲れて羽を休めていた、ただの魔法使いですよ。お嬢さん」

歩美の手を取って手の甲にキスをすると、軽くウインクした。その瞬間、背後から強い光に照らされた。それはヘリコプターのサーチライトだった。地上からも巨大な投光器の光が伸びて、歩美の部屋のベランダを照らす。

高層マンションの下にはたくさんのパトカーが停まっていた。大勢の警察官が高層マンションを見上げている。その中には、長年怪盗キッドを追っている中森銀三警部の姿もあった。

「いたぞ、奴だ！　逃がすな！　怪盗キッドを捕まえろー!!」

サーチライトと投光器に照らされた怪盗キッドは、ひょいと手すりに飛び乗った。

「じゃあな、お嬢さん」

そう言うと、手すりから大きくジャンプした。落下する怪盗キッドの背中から、ハンググライダーの翼が勢いよく開く。

「あ……！」

歩美が手すりに駆け寄って覗くと、純白のハンググライダーは悠々と夜空を飛んでいた。ハンググライダーはどんどん小さくなって、遠くに見える高層ビル群の夜景に溶け込むように消えていった。

翌日。その日は学校のプールの開放日で、歩美はプールバッグを持って学校に行った。校門のところでコナンたちに会い、歩美は昨夜の出来事を話した。

「ええっ！　怪盗キッドを見たー!?」

「それホントかよ、歩美!?」

同級生の円谷光彦と小嶋元太は、目を丸くして驚いた。

「うん、とってもカッコよかった♡」

歩美はすっかり怪盗キッドのファンになってしまったようで、

「まさに平成のアルセーヌ・ルパンですよねぇ！」

光彦も、有名推理小説に出てくる怪盗を引き合いに出してほめたたえる。

サッカーボールを蹴っていたコナンは、フンと不服そうに歩美たちを見た。すると、灰原が意味ありげな笑みを浮かべて、コナンの方を振り返る。

「で、平成のホームズさんはどうする気？」

「バーロォ、いつか捕まえてやるに決まってんだろ！」

コナンはそう言って、転がしていたサッカーボールを思いきり蹴り上げた。


8月19日。警視庁——。

100人以上を収容できる大会議室では、怪盗キッド特別捜査会議が行われていた。

「怪盗１４１２号、通称『怪盗キッド』の犯行は、現在まで１３４件です」

「うち15件が海外で、アメリカ、フランス、ドイツなど、12か国にわたります」

「盗まれた宝石類は延べ１５２点、被害総額は３８７億２５００万円です」

階段状の座席に並んだ刑事たちが次々と報告すると、大きなスクリーンの脇で刑事たちと向き合う形で席についていた捜査二課の警視、茶木仲太郎（49）はマイクを持って立ち上がった。

「その怪盗キッドから昨日、新たな犯行予告状が届いた」

刑事たちから、おおっと驚きの声が上がった。正面のスクリーンに、怪盗キッドの犯行予告状が映し出される。

「『黄昏の獅子から暁の乙女へ　秒針のない時計が12番目の文字を刻む時　光る天の楼閣から　メモリーズ・エッグをいただきに参上する　世紀末の魔術師　怪盗キッド』」

茶木は犯行予告状を読み上げた。署名の横にはハートマークと手描きの怪盗キッドのマークが入っている。

「予告の中のメモリーズ・エッグとは、先月、鈴木財閥の蔵から発見された、ロマノフ王朝の秘宝、インペリアル・イースター・エッグのことだ」

スクリーンが切り替わり、赤い台座に載ったインペリアル・イースター・エッグが映し出された。一人の刑事が立ち上がり、資料を片手に説明をする。

「インペリアル・イースター・エッグとは、ロシアの皇帝が皇后への復活祭の贈り物として、宝石細工師・ファベルジェに作らせた卵のことで、１８８５年から１９１６年までの間に50個作られています。従って、今回発見されたエッグは51個目となります」

「鈴木財閥では、51個目のエッグを8月23日から大阪城公園内にオープンする『鈴木近代美術館』で展示することになった。そこで暗号の内容だが――中森君」

茶木はスクリーンの反対側に座る捜査二課の警部、中森銀三（41）に目を向けた。

「はい」

立ち上がった中森は、スクリーンに近づく。

「まず、『黄昏の獅子から暁の乙女へ』……これは『獅子座』の最後の日の8月22日の夕方から、『乙女座』の最初の日の夜明けまでという意味で、犯行の日にちを示すものだ」

強面の刑事たちが鋭い目つきでスクリーンを見つめる中、一人キョロキョロと落ち着きのない者がいた。毛利小五郎だ。

「次に『秒針のない時計が12番目の文字を刻む時』……これは犯行の時刻を示すものと思われるが、まだ解読できていない。最後の『光る天の楼閣』……これは『天守閣』すなわち大阪城のことで、キッドが現れる場所を示す」

スクリーンには大きな満月に照らされた大阪城が映し出され、中森は勢いよく指差した。

そして再び怪盗キッドの犯行予告状が映る。

「つまりこの予告状は、『8月22日の夕方から23日の夜明けまでの間に、大阪城の天守閣からインペリアル・イースター・エッグを盗みに現れる』という意味だ！」

中森が高らかに叫ぶと、刑事たちから「おおッ！」と感嘆の声が上がり、拍手が湧き起こった。茶木が再びマイクを持つ。

「そこで今回は、大阪府警との合同捜査となる。なお、鈴木氏たっての希望で、名探偵である毛利小五郎氏にも協力を願った」

茶木が小五郎を指差すと、刑事たちの鋭い視線が一斉に集まった。

「ど、どうもォ……」

と、小五郎は頭をかきながら笑みを浮かべた。茶木が話を続ける。

「今回の我々の目的は、あくまでもエッグの死守。たとえ奴を取り逃がしたとしても、エッグだけは……」

するとと突然、中森が茶木のマイクを奪った。

「なんて甘っちょろいことは言ってられ——ん!!」

中森はスクリーンの前に立ち、拳を握って叫んだ。

「エッグは二の次だ！　いいか、ものどもッ！　我々警察の誇りと威信をかけて、あのキザなコソ泥を冷たい監獄の中へ、絶対に、ぜーったいにぶち込んでやるんだァ!!」

「オ————ッ!!」

刑事たちは一斉に立ち上がり、拳を突き上げた。

その尋常でない熱気に、一人座ったままの小五郎は顔をひきつらせる。

（え、えらいこと引き受けちまったぜ……）

小五郎は依頼を引き受けたことを、少しだけ後悔した。

2

キッドの犯行予告状にあった8月22日。

小五郎は蘭とコナンを連れて、新幹線で大阪へ向かった。

新大阪駅で降りると、改札口で園子が待っていた。

「蘭ー！　ここよ、ここォ！」

「園子ォ！」

駅前の駐車場には大型の高級乗用車リムジンが停まっていて、園子たちは広い客席に乗り込んだ。

「ほォ……リムジンかぁ。さすが鈴木財閥……」

小五郎が客席を見回しながら感心すると、向かい合って座った園子が嬉しそうに胸の前で手を組んだ。

「だって今日は特別なんですもの！」

「特別？」

「だって、憧れのキッド様に会うにはこれくらいでないとねェ♡」

「もぉ、園子ったらぁ……」

園子の隣に座った蘭が苦笑いする。

（憧れのキッド様だぁ……？）

小五郎も眉をひそめると、園子が「あ、そうそう」と運転席を振り返った。

「運転してくれているのは、パパの秘書の西野さんよ」

メガネをかけた短髪の男性、西野真人（29）は、チラリと後ろを振り返って「よろしく」と言った。

「彼はずっと海外のあちこちを旅して回って、英語、フランス語、ドイツ語がペラペラなんだよ」

「へぇ、スゴーイ！」

感心する蘭と同様に、コナンもさすがに鈴木家の秘書になるだけあってすげぇな、と思った。

その頃。阿笠博士の家に遊びに来ていた元太、光彦、歩美は、ソファに並んで座り、コナンへの不満をもらしていた。

「ズルイんだぜ、博士。コナンの奴、一人で大阪行きやがってよ！」

「わたし、もう一度キッドに会いたかったのに！」

「抜け駆けは、彼の得意技ですからね！」

「まあ、そう言うな」

キッチンにいた阿笠博士は、切り分けたスイカを持ってきた。

「スイカでも食べて、怒りを鎮めたらどうじゃ？」

「やったぁーッ！」

目の前にスイカを出された子どもたちは、とたんに機嫌を良くして、スイカを手に取った。

「いっただきまぁーす！」

「ちょっと待った！」

阿笠博士の制する声に、子どもたちの向かいに座っていた灰原は、読んでいた雑誌から顔を上げた。

「食べるのは、クイズを解いてからじゃ！」

「えーっ!?　そりゃねーだろ、博士！」

子どもたちが文句を言うと、阿笠博士は「何を言っとる！」と腰に手を当てた。

「子どものうちから楽に物を手に入れるクセつけてどーする！　いくぞォ！　――ワシには多くの孫がおる。ズバリ、何歳かな？」

さっそくクイズを出すと、元太が「えぇ!?」と驚いた。

「博士に孫がいんのか!?」

阿笠博士がガクッとよろける。

「こりゃクイズじゃよ」

「う～ん……」

子どもたちはスイカを持ったまま考え始めた。が、すぐにあきらめて、顔を見合わせる。

「やっぱ、コナン君がいなきゃ無理よね……」

「じゃあこのスイカ、どーなるんだよ？」

元太が持っているスイカを見つめていると、

「0歳よ」

灰原が雑誌をめくりながら言った。

「え？」

「まだ卵なのよ。ワシは鳥の『鷲』、多くの孫で『多孫』、卵はまだ0歳よ」

灰原の答えに、阿笠博士は「大正解じゃ！」と満足そうにうなずく。

「さすが哀君。君なら解けると思っとったぞ！」

「へえー……」

「灰原さんて……」

「スゴイ……」

コナン並みにすばやくクイズに答えた灰原を、子どもたちが感心したように見つめる。

スイカを持った元太は、こそっと光彦たちに顔を近づけた。

「は、灰原って、少年探偵団の仲間だよな？」

「ってことは……」

三人はニヤッと微笑むと、声を合わせた。

「いっただきまぁーす!!」

無邪気にスイカを頬張る子どもたちに、灰原はクスリと笑った。

卵といえば――灰原の頭にふと、大阪にいるコナンのことが浮かぶ。

(さて、あっちの卵はどうなるか……お手並み拝見させてもらうわよ、工藤君)


コナンたちを乗せたリムジンは、大阪府警察本部のそばを通り、大阪城公園内にある鈴木近代美術館に到着した。広大な敷地に建てられた美術館は、正門付近はもちろん、建物の内部や外部のあらゆる場所に警察官が配置されていた。さらに上空には大阪府警のヘリコプターが周回している。

「すごい警戒ね……」

「まさに蟻のはい出る隙もねぇって感じだな」

美術館の玄関前でリムジンから降りた小五郎と蘭があっけに取られていると、園子がフッと笑った。

「当ったり前よ。相手はあの怪盗キッド様。なんたって彼は……」

「神出鬼没で変幻自在の怪盗紳士」

先回りした声が聞こえて、園子やコナンがリムジンの方を振り返ると、いつの間にかバイクが停まっていた。フルフェイスヘルメットを被った二人が乗っている。

「固い警備もごっつい金庫も、その奇術まがいの早業でぶち破り、オマケに顔どころか声から性格まで完璧に模写してしまう、変装の名人ときとる。ホンマ、めんどくさい奴を敵に回してしもたな、工藤！」

バイクにまたがっていたのは、服部平次とその幼なじみの遠山和葉だった。

「また、コイツか……」

ヘルメットを取った平次を見て、小五郎が顔をしかめる。

「もぉ、なんで服部君、いつもコナン君のこと、工藤って呼ぶの？」

蘭が言うと、平次は「ああ、スマンスマン」と頭をかいた。

「こいつの目ェのつけどころが工藤によう似とるんでなぁ、ついそう呼んでしまうんや」

あっけらかんと話す平次とは裏腹に、コナンは内心ヒヤヒヤしていた。平次が工藤と呼ぶたびに、蘭に正体がバレるんじゃないかと気が気でないのだ。

「ホンマ、アホみたい」

バイクの後ろに乗っていた和葉があきれた顔で言った。

「今日も朝早よから、工藤が来る工藤が来る言うて、いっぺん病院で診てもろた方がええんちゃうの？」

和葉と平次が言い合っているそばで、園子が「ねぇ」と蘭に声をかけた。

「彼が西の高校生探偵の服部平次君？　結構いい男じゃない」

「ダメダメ！　服部君には幼なじみの和葉ちゃんがいるんだから。あんな風にケンカしてるけど、ホントはすっごく仲がいいんだよ」

釘をさそうとする蘭を、園子は手を出して遮った。

「見りゃわかるわよ。新一君と蘭にそっくりだもん」

「え？」

「あーあ、わたしにも幼なじみの男の子がいたらなぁ」

うらやましがる園子の隣で、蘭は平次と和葉を見た。口喧嘩している二人が、自分と新一に重なって見えた。

大阪城公園の豊かな緑に囲まれた鈴木近代美術館は、巨大な宇宙船のような形をした壮麗な建物だった。その本館から渡り廊下で繋がる社長室は、さながら小型宇宙船のように浮いている。

廊下の先にある大きな扉が開くと、両脇に警察官が立っていて、奥の豪華な応接セットに鈴木史郎（51）が座っていた。

「おお！　これは毛利さん。遠いところをよくおいでくださいました」

「いやぁ、どうも」

ソファから立ち上がった史郎は、小五郎と握手した。

「蘭さんとコナン君もよく来てくれたね。えーと、園子、そちらのお二人は？」

コナンたちの後ろにいた平次と和葉を見て、史郎がたずねる。

「服部平次君と遠山和葉さんよ、パパ。平次君は西の高校生探偵って呼ばれてて、関西じゃ有名だってさ」

「それはそれは……頼りにしてますよ」

「おう！　まかしといて、おっちゃん！」

軽いノリで返事をする平次を、小五郎が「オマエなぁーっ！」と怒鳴りつける。

「鈴木財閥の会長に向かっておっちゃんとは……！」

「まあまあ、毛利さん」

小五郎をなだめた史郎は、「それより紹介しましょう」と応接セットに座っている四人の客を振り返った。

「こちら、ロシア大使館の一等書記官、セルゲイ・オフチンニコフさん（41）です」

スーツを着たガタイのいい強面の男性は、ソファから立ち上がって「よろしく」と挨拶した。

「お隣が早くも商談でいらした、美術商の乾将一（45）さん」

えんじ色のスーツを着て口ひげを生やした男性が、ソファから立ち上がって軽く頭を下げる。すると隣の女性がおもむろに立ち上がった。

「彼女は、ロマノフ王朝研究家の浦思青蘭さん（27）」

チャイナドレス風セットアップを着たショートカットの女性は、「ニイハオ」と中国語で挨拶をした。

「そしてこちらが、エッグの取材撮影を申し込んでこられた、フリーの映像作家、寒川竜さん（32）」

「よろしく」

長髪を後ろで束ねた男性は座ったまま挨拶すると、持っていたビデオカメラで、目の前に立っている小五郎を撮り始めた。

「しかし、商談ってどのくらいの値を？」

小五郎がたずねると、乾は「8億だよ」と軽く言った。

「は、8億ぅ——!?」

目を丸くする小五郎を嘲るような笑みを浮かべ、乾は史郎を見た。

「譲ってくれるなら、もっと出してもいい」

「会長さん！」

乾が交渉するのを見て、セルゲイが慌てて間に入る。

「インペリアル・イースター・エッグは、元々ロシアのものです！　こんな得体の知れないブローカーに売るくらいなら、ぜひ我がロシアの美術館に寄贈してください！」

「得体の知れないだとォ⁉」

突然、険悪な雰囲気になってしまった二人に、寒川がビデオカメラを向けた。

「いいよいいよォ。こりゃエッグ撮るより、人間撮る方が面白いかもしれないな」

そう言ってソファから立ち上がると、隣の青蘭に目を向ける。

「アンタ、他人事のような顔してるけど、ロマノフ王朝の研究家なら、エッグは喉から手が出るほど欲しいんじゃないのかい？」

「……はい」

青蘭は悔しげに顔をゆがめた。

「でも私には8億なんていうお金はとても……」

「だよな。俺だってかき集めても2億がやっとだ」

客人たちの会話を聞いていたコナンは、驚いた。

(おいおい。キッドだけじゃなくみんな狙ってんじゃねーか、エッグを……)

「とにかく、エッグの話は後日改めてということで……」

史郎が言うと、客人はあっさりと引き下がった。

「わかりました」

「仕方ない。今日のところは引き上げるとするか……」

一様に荷物を持ち上げて扉に向かって歩いていく。

そこに秘書の西野が木箱を大事そうに抱えて現れた。ぞろぞろと歩いていく客人に頭を下げると、一番後ろを歩いていた寒川が西野の顔を見るなりギョッとして、足早に去っていった。その行動を見て、コナンは首をかしげた。

「会長、エッグをお持ちしました」

「ああ、ご苦労さん。テーブルに置いてくれたまえ」

「はい」

西野は抱えていた木箱を、静かにテーブルに置いた。

「さあ、みなさん、どうぞ」

史郎が小五郎たちをテーブルに誘い、蘭は目を輝かせた。

「わあ！　エッグを見せてもらえるんだ」

「見た目はたいしたモンじゃないよ。子どもの頃、わたしが知らないでオモチャにしてたくらいだから」

園子の言葉に、蘭は「オモチャ……」とつぶやいた。乾が8億出すと言ったものを、園子はオモチャにして遊んでいたのだ。

一同がソファに座ると、史郎は木箱の紐を解いてフタを取った。木箱から出てきたのは、小さな卵形の飾り物だった。エメラルドグリーンの外側には、金銀の精密な美しい装飾が施されている。

「へえ、これがインペリアル・イースター・エッグ……」

一同は身を乗り出して、テーブルの上のエッグをまじまじと見つめた。

「西野君、みなさんに冷たいものを」

「はい」

史郎に言われて、西野は部屋を立ち去った。

平次は8億と聞いてもっと豪華なものを想像していたらしく、エッグを見て少しがっかりした顔になった。

「なァんか思ってたよりパッとせーへんなァ」

「ダチョウの卵みたいやね」

和葉も期待していたほどではなかったらしい。

「これ、開くんでしょ？」

コナンが言うと、史郎は「そうなんだよ！　よくわかったね」と感心したように微笑んだ。

「中はニコライ皇帝一家の模型でね。全部、金でできているんだ」

エッグは上半分が開く仕掛けになっていて、中には金色に輝くニコライ皇帝一家の像が入っていた。本を持ったニコライ皇帝がソファに腰かけ、その隣には赤子を抱いた皇后、さらにソファの周りを四人の娘が取り囲んでいる。

「へえ、なかなかのモンやな！」

平次と和葉が身を乗り出すと、史郎は持っていた小さな鍵を見せた。

「このエッグには面白い仕掛けがあってね」

そう言って、エッグの下部の穴に鍵を差し込んで、キリキリと巻く。すると、像がせり出して、ニコライ皇帝が持っている本がパラパラと開いた。まるでニコライ皇帝が生きているかのようにページがめくられていく。

「へえー、オモロいやん、これ！」

平次が感心していると、史郎はソファに置いていたファイルをテーブルに広げた。

「ファベルジュの古い資料に、このエッグの中身のデザイン画が残っていてね。これによって本物のエッグと認められたんだよ」

史郎が見せたファイルには、目の前にあるエッグの外側と中身の絵があった。絵の上にはロシア語で〈ВОСПОМИНАНИЕ〉と書かれている。

「メモリーズ・エッグって言うのは、ロシア語を英語にした題名なんですか？」

蘭の問いに、史郎が「ああ、そうだよ」とうなずく。

「ロシア語ではボスポミナーニエ、日本語に訳すと『思い出』だそうだ」

「ねえ、なんで本をめくってるのが思い出なの？」

コナンが訊くと、小五郎が「バーカ！」と口を開いた。

「皇帝が子どもたちを集めて本を読んで聞かせるのが、彼らの『思い出』なんだよ！」

蘭はエッグのフタの裏に宝石のようなものが付いているのに気づいた。

「エッグのフタの裏で光っているのは、宝石ですか？」

「いや、それはただのガラスなんだ」

史郎の答えに、コナンは「え？」と顔を上げた。

「皇帝から皇后への贈り物なのに？　なんか引っかからない？」

「うーん……ただ、51個目を作る頃には、ロシアも財政難に陥っていたようだがね」

「引っかかる言うたら……」

コナンの言葉に、平次は怪盗キッドの予告状を思い出した。

「キッドの予告状、『光る天の楼閣』……なんで大阪城が光るんや？」

平次が顎に手を当てて考えていると、隣に座った和葉が「アホ！」と突っ込んだ。

「大阪城建てた太閤さんは、大阪の礎を築いて発展させはった、大阪の光みたいなモンや！」

「そのとおり！」

扉の方から声がして、和葉たちがそちらを向くと、警視庁の茶木と中森がずかずかと歩いてきた。

「キッドが現れるのは大阪城の天守閣。それは間違いない！　だが……」

「『秒針のない時計が12番目の文字を刻む時』……この意味がどうしてもわからんのだ」

そう言って険しい顔でうつむく二人に、和葉が「それって……」と声をかける。

「『あいうえお』の12番目の文字とちゃうん？」

一同が「え!?」と驚く。

「『あいうえお』の12番目の文字って……」

蘭と園子は指を折って数え始めた。

「……『し』？　じゃあ4時ってこと!?」

園子が言うと、中森は「いや」と否定した。「キッドの暗号にしては単純すぎる」

すると、小五郎が得意げな顔でフッと微笑んだ。

「わかりましたよ、警視。『あいうえお』ではなく、アルファベットで数えるんです！」

「アルファベット!?」

「アルファベットの12番目は『L』。つまり……」

小五郎の言葉を受けて、茶木は自分の腕時計を見た。長針と短針が『L』の形になるとき、それは――。

「3時か！」

「さすが名探偵！　お見事ですな」

史郎がほめたたえると、小五郎はふんぞり返って「ナーハッハッハ！」と高笑いした。

茶木が中森を振り返る。

「間違いない！　午前3時ならまだ夜明け前で、『暁の乙女へ』にも合致する！」

中森は力強くうなずいた。

「待ってろよ、怪盗キッド！　今度こそお縄にしてやる!!」

二人が怪盗キッドの暗号を解いて執念を燃やす中、コナンは顎に手を当て、険しい表情を浮かべた。

鈴木近代美術館を後にしたコナンは、平次、和葉、蘭、園子と一緒に難波布袋神社に来ていた。

コナンと平次が拝殿の前に並んで手を合わせていると、社務所でおみくじを引いた蘭が「わあ！」と声を上げた。

「わたし、大吉!!」

園子と和葉が「どれどれ？」と蘭のおみくじを覗く。

「待ち人……恋人と再会します」

蘭がおみくじを読み上げると、

「それって、新一君のことじゃない？」

園子が言った。

「へぇ……よかったやん！　今度、アタシにも会わしてェな」

和葉の言葉に、平次が意味ありげな目つきでコナンを見る。

（……ここにいるって）

コナンも心の中で突っ込んだ。

「さてと」

参拝を終えた平次は歩き出した。

「問題は午前3時までどうやって時間をつぶすかやな。まあとりあえず、なんかうまいモンでも食べに……」

とコナンの方を振り返ると、コナンは難しい顔をして何やら考え込んでいる。

「和葉！」

平次は社務所の前にいる和葉に声をかけた。

「お前、その二人案内したりや」

「平次は？」

「オレはこのちっこいのを案内するから」

「どうして？　一緒に行こうよ」

蘭が言うと、平次はしゃがみ込んでコナンの肩に手をかけた。

「男は男同士がええんやて。なあ、コ、コ……コナン君」

「うん！」

コナンは満面の笑みで返事をしたあと、平次に顔を近づけてジロリとにらむ。

「早く慣れろよな！」

「なんや、偉そうやないか。バラしてもええんやで？」

「ど、努力してくださいっ」

コナンが無理やり作り笑いを浮かべてお願いすると、平次もニッコリと笑った。

「そやそや、人にモノ頼むときはな、笑顔忘れたらあきませんでェ」

（ニャロォ……）

コナンは平次を軽くにらみつけると、神社を後にした。

「なんか妙に仲がいいのよね、あの二人……」

二人が並んで歩いていくのを見送った蘭は、首をかしげた。

「いーじゃない、女は女同士！　浪花のイケてる男を見つけて、ご飯おごらせちゃおうよ！」

園子がガッツポーズを取ると、

「ほんなら、ひっかけ橋でも行ってみる？」

和葉は大阪の有名ナンパスポットの戎橋を挙げた。

神社を出ると、平次はすぐにコナンに訊いた。

「お前、12番目の文字が引っかかってんのやろ？」

「ああ」

コナンは歩きながらうなずいた。

「『L』がロシア語のアルファベットでって言うんなら、わかるんだが……」

「ロシア語のアルファベット？」

「カーだ。英語のK」

コナンに言われて、平次は時計の文字盤を思い浮かべた。

「『K』やったら、時計の形にはならへんな」

「それに、予告状の最後の『世紀末の魔術師』ってのも気になる」

「ホンマ、キザなやっちゃな！」

平次が忌々しげに言うと、コナンは軽く首を横に振った。

「今まで奴は、そんなふうに名乗ったことがない。それに、何よりも今まで宝石しか狙わなかったキッドが、なぜエッグを狙うんだ……？」

考え込むコナンの前で、さっき引いたおみくじどないやった？」

「それよりお前、さっき引いたおみくじどないやった？」

「んなもん、まだ見てねーよ」

「なんでや？　キッドとの対決を占う大事なおみくじやろ？」

「……ったく」

コナンはポケットからおみくじを取り出して、広げて見せた。

「へぇ、小吉かぁ。中途半端なモン引きよったな。これやったらキッドとの勝負、勝てるんか負けるんかわからへんやないか！」

「『待ち人』は〝来ます〟か……」

コナンは小吉の下に書かれた運勢の項目を見ていった。『旅行』の項目に目を留める。

「『旅行』……〝秘密が明るみにでます。やめましょう〟」

（おいおい、まさか……）

コナンは蘭を思い浮かべた。秘密が明るみにでますって、もしかして蘭に自分の正体がバレるってことじゃあ……。

「ここのおみくじ、よォ当たるからなァ」

「ウソッ⁉」

コナンが慌てると、平次は「ホンマ♡」と意地悪く笑った。

鈴木近代美術館の会長室からは緑に包まれた大阪城が一望でき、天守閣の上の空は赤く染まりつつあった。

小五郎は史郎と会長室に残っていた。

「料亭ですか⁉」

「ええ、キッドが来るのは明日の午前3時とわかったことですし、それまでどうです？」

「いーっすなあ♡」

小五郎が気をよくしているところに、再び中森が二人の部下を連れてやってきた。

「会長、そろそろ……」

「そうですな。お願いします」

中森は、テーブルに置かれたエッグの箱を手に取った。

「ああ、展示室に移すんですか」

小五郎が言うと、エッグの箱を持った中森は不敵な笑みを浮かべた。

「ニセモノの方をね」

「ニセモノ⁉」

「今まで我々は、予告状に書いてあるところへバカ正直に獲物を置いて、キッドにやられていました。だったら、どこに置いてあるかわからなくしようというわけです」

「なーるほど！」

小五郎はポンと手を叩いた。「で、その場所は？」

「お教えするわけにはいきません！　知っているのは私と、二人の部下だけです」

中森はそう言うと、二人の部下の頬を思いきり引っ張った。

「もちろん、彼らがキッドの変装でないことは確認済みです！」

すると突然、小五郎がソファから立ち上がり、中森の両頬を思いきり引っ張った。

「あがッ！　な、何を……⁉」

「あなたがキッドの可能性もありますから！」

小五郎が胸を張って言うと、今度は中森が小五郎の頬を引っ張った。

「だったら！」

「何をする！　このこのォ！」

中森と小五郎はケンカ腰になって、互いの頬を引っ張り合いだした。

その様子を、少し開いた窓の外から白い鳩がじっと見ていた。その細い脚には、盗聴器が付けられていた。

3

すっかり日が暮れた頃になって、コナンと平次は鈴木近代美術館に戻ってきた。すると、門を入ったところに若い女性と老人男性が立っていた。秘書の西野が応対している。

「私、香坂夏美と申します。こちらは執事の沢部です」

香坂夏美と名のる女性(27)は老人と共に会釈をすると、持っていた鈴木近代美術館のパンフレットを見せた。「このパンフレットにあるインペリアル・イースター・エッグのことで、ぜひとも会長さんと会ってお話ししたいんですが……」

「あいにく会長は出てまして、私でよろしければ伺いますが……」

西野が言うと、夏美はパンフレットのエッグの写真を指差した。

「このエッグの写真が違うんです。曾祖父の残した絵と……」

コナンと平次は、夏美たちの横を通り過ぎた。すると、腕時計を見た平次が「おっ」と声をもらす。

「こらオモロいな。夜中の3時が『L』なら、今は『へ』やで！」

「へ……？」

コナンは平次の腕時計を見た。

「今、7時13分や。7時20分になったら、完璧な『へ』やで」

言われてみれば、7を指す短針と4を指す長針は、『へ』の形に見える——そう思った瞬間、コナンの脳裏に稲光のようなものが走った。

（『黄昏の獅子から暁の乙女へ』の『へ』は、頭から数えて12番目……！）

キッドの予告状にあった『秒針のない時計が12番目の文字を刻む時』——これは『あいうえお』の12番目でもアルファベットの12番目でもない。予告状の12番目の文字だ！

「服部！　キッドの予告した時間は午前3時じゃなく、午後7時20分だ！」

「なんやて!?」

突然、コナンは走り出した。美術館の玄関前に置いてあったスケボーを抱えて走る。

「おい！　どこ行くねん！　工藤!!」

「大阪城だ！　お前はエッグを見張ってろ!!」

そのとき、平次の頬にぽつりと何かが降ってきた。

「ン？　雨か。天気予報は確か晴れ……」

何気なくつぶやいた自分の言葉に、平次はハッとした。

「待てや、工藤！」

平次は門へ向かうコナンに声をかけた。

「『天の楼閣』は天守閣やない！　通天閣や!!」

「通天閣!?」

コナンは足を止めた。

「通天閣のてっぺんはなァ、光の天気予報なんや！」

「何ィ!?」

その頃。通天閣の頂上にある丸いネオンは、明日の天気の『晴れ』を示す白色に光っていた。どこからか白い鳩が飛んできて、ネオンの上に立つ怪盗キッドの指先に止まった。怪盗キッドは鳩の脚に付いた盗聴器を外すと、耳に付けていたイヤホンを取った。そして勢いよく両手を広げる。

「レディース・アンド・ジェントルメーーン!!」

純白のマントを風になびかせた怪盗キッドは、シルクハットのつばに手をかけた。

「さぁ、ショーの始まりだぜ！」

そう言って、手に持った小さなリモコンを大阪城に向け、ボタンを押す。

すると次の瞬間、大阪城から幾つもの花火が上がった。

「な、なんだ!?」

大阪城の天守閣で大勢の警察官と身を潜めていた茶木警視は、突然の花火に目を丸くする。

小五郎は史郎と一緒に料亭『寛』の座敷にいた。

食事と共に酒をたしなんでいると、突然、大阪城の方で花火が上がった。庭園に面した縁側から見上げると、上弦の月とともに花火が空をいろどっていた。

「ほほぉ、花火ですか」

「まさに夏の風物詩ですなぁ！」


道頓堀の戎橋を歩いていた蘭たちも、突然上がった花火に足を止めた。

「きれい！」

「やっぱ大阪は花火も派手だねぇ！」

花火を見ている蘭と園子の背後で、和葉が首をかしげる。

「おかしいなぁ。今日は花火の日とちゃうんやけど……」


本物のエッグを持った中森は、屋上のネオン看板が輝く5階建てのビルの最上階にいた。

隅に大型木箱があるだけのガランとした部屋の真ん中には円テーブルがあり、その上にエッグが入った木箱が置かれていた。

テーブルのそばで中森が椅子に座ってエッグを監視していると、突然、外からドォン、ドォンと大きな音がした。

「警部！　大阪城の方で花火が上がっています！」

「それもすごい数です！」

窓際にいた部下たちが慌てふためくと、中森は「騒ぐな！」と一喝した。

「あれはキッドじゃない。奴の予告時間まで、まだ7時間以上もあるんだからな！」

中森は円テーブルに置かれたエッグの箱を見て、フッと微笑んだ。

「まさかこんな倉庫みたいなところに、エッグを隠しているとは奴も思うまい」

大量の花火が連続して打ち上げられ、大阪城の上空には無数の明るい大輪の花が広がっていた。

「服部！　通天閣はどっちだ⁉」

コナンがたずねると、平次は「あっちや！」と指差した。と、指差した方向の空が暗いことに気づく。

「あっちは花火が上がってへんな」

「大阪城で花火を打ち上げたのは、通天閣から目をそらせるためだ！」

そう言うと、コナンは険しい顔をしてうつむいた。

「……でもなぜなんだ？　なぜ奴は通天閣に……」

考え込むコナンの横で、平次は「クソッ」と拳で手を叩いた。

「今から通天閣に行っても間に合わへんな!!」

「ここでキッドを待ち伏せるんだ！」

コナンは平次に言うと、西野のところへ走った。

「西野さん！　エッグは今どこに？」

「それが、中森警部がどこか別の場所に持っていったらしいんだ」

「なんやて!?」

西野の言葉を聞いた平次は、目を丸くした。その背後では、まだ花火が打ち上がっている。

「さて、お次は……」

通天閣の頂上に立っていた怪盗キッドは、手にしたリモコンの別のボタンを押した。

すると、変電所に仕掛けた爆弾が爆発した。

とたんに大阪中の明かりが消える。

ライトアップされた大阪城も、鈴木近代美術館も、道頓堀も。そして、中森がエッグを置いているビルも――。

「慌てるな！　すぐに自家発電に切り替えろ！　急げぇ!!」

暗闇の中、中森は部下に命令した。部下たちが部屋を出ていく。

「停電……！」

突如、大阪中の明かりが消えて、コナンたちは闇に包まれた。

この停電も花火と同じく、怪盗キッドのしわざだ――そう思ったとたん、コナンの脳裏に一閃の光が差し込んだ。

（奴の狙いがわかったぞ！）

コナンは抱えていたスケボーを地面に置いて乗った。そして前面にあるアクセルボタンを踏み込む。

「お、おい！」

平次が止める間もなく、白煙を上げたスケボーは猛スピードで美術館の門を出ていった。

通天閣の頂上に立った怪盗キッドは、停電で真っ暗になった大阪の街を、単眼鏡で眺めていた。

明かりを失い闇に包まれた大阪の街だが、ところどころに明かりが点いている建物が見える。停電して自家発電に切り替えた建物だ。

「……法円坂ミカド病院……ホテル堂島センチュリー……天満救急医療センター……ホテル・チャネル・テン……浪花TMS病院……関西ホテルワールド……」

怪盗キッドは明かりが点いている建物の名称をつぶやいていった。そして、小さなビルの屋上看板が点灯しているのを見つけた。

「……ビンゴ！」

怪盗キッドは単眼鏡を懐にしまうと、通天閣からひらりとジャンプした。風にはためいた純白のマントがハンググライダーの翼に変わり、漆黒の空を飛んでいく――。

停電で信号機が消えてしまった大阪の街は、各地の交差点で大渋滞が起きていた。

「どかんかい！　右折できんやろ!!」

「直進車優先や!!」

怒号とクラクションが鳴り響く中、コナンは車の間をスケボーで疾走した。

(奴は本物のエッグを別の場所に移動した情報を手に入れてたんだ！　その場所を特定するために街中を停電にし、自家発電に切り替えさせた。そして、病院やホテル以外で明かりが点くであろうその場所を……)

スケボーを走らせながら夜空を仰ぐと、闇を横切る白い物体が見えた。怪盗キッドのハンググライダーだ。

「クソッ！」

コナンはギャギャッと音を立てて道路を曲がり、狭い路地に入った。店から出てきた客たちの間をすり抜け、さらに細い路地に入る。するとその先は柵になっていた。

「やべぇ！　行き止まりだ！」

そのとき、背後でバイクが停まった。

「乗れ！　工藤!!」

平次のバイクだった。コナンは渡されたヘルメットを被り、すばやく平次の後ろに乗る。

渋滞で停まった車の間を、平次のバイクが駆け抜ける。コナンは平次のシャツにつかまりながら、怪盗キッドのもくろみを伝えた。

「なるほど！　その明かりが点くんを見渡すのに、通天閣は絶好の位置取りや！　奴は予告状を出す前から、こうなることを読んどったたっちゅうワケやな！」

「しかもその場所は、外部から気づかれないために……」

「警備は手薄！」

平次はショートカットするために細い路地に入った。さらに大通りに出て、夜空を飛ぶ怪盗キッドのハンググライダーを追う。

渋滞で停まった車の間を縫うように走る平次は、悠々と空を飛ぶ怪盗キッドのハンググライダーを悔しげに見上げた。

「こら早よ行かな、取られてまうぞ……!!」

夜空を優雅に飛んだ怪盗キッドのハンググライダーは、煌々と光る屋上看板の元に着陸した。

コナンを乗せた平次のバイクも、屋上看板が点灯しているビルを見つけ、ビルの前にバイクを停めた。

「服部！　お前はここで待機してろ!!」

「何ィ!?　おい、工藤！」

被っていたヘルメットを平次に放り投げたコナンは、ビルの中へ入っていった。薄暗い階段を駆け上り、最上階へと向かう。

「キッド！」

扉を開けて部屋に入ると、中森や部下が床に倒れ、エッグの箱を抱えたキッドが窓から脱出するところだった。

扉の方を振り返ったキッドは、すかさずトランプ銃を撃った。コナンの足元にトランプが刺さり、煙を巻き上げる。

「クソッ！」

コナンが窓に駆け寄ると同時に、怪盗キッドは窓から飛び降りた。ハンググライダーの翼が広がって、夜空を飛んでいく。

コナンは窓のそばにあったロープを手に取り、先端のフックをパイプに掛けた。そしてロープを窓から放り投げ、垂らしたロープを伝ってビルの壁を下りていく。

「急げ！　工藤!!」

ビルの前で待機していた平次は、下りてきたコナンにヘルメットを投げた。ヘルメットを被ったコナンが後ろに飛び乗ると、バイクは急発進した。

「ハンググライダーが飛ぶには、軽い向かい風が理想的だ！」

「風上に向かって飛んでるっちゅうワケやな！」

平次のバイクも風上に向かって進んだ。大通りに出て、渋滞している車の間をすり抜けるようにして走る。京セラドーム大阪の横を通り過ぎ、倉庫街に入ると、夜空を飛ぶ怪盗キッドのハンググライダーが見えた。

「高度を下げ始めたぞ！」

「この先は大阪湾や！　キッドの奴、降りよるで!!」

平次が夜空を見上げたとき――前の交差点を大型トラックが左から走ってきた。

「うわッ!!」

トラックをよけようとした平次のバイクがスリップして、二人はバイクから放り出された。コナンは抱えていたスケボーに空中で飛び乗り、道路に着地する。

「服部！　大丈夫か!?」

道路に倒れた平次に駆け寄ると、ボロボロになった平次は起き上がってヘルメットを取った。

「何してんねん！　はよ行け！　逃がしたらしばくぞ、こら!!」

「服部……」

コナンは「うん！」と力強くうなずいた。

「だ、大丈夫か？　兄ちゃん！」

トラックの運転手や通りかかった車から運転手が出てきて、座り込んでいる平次に声をかける。

「警察と救急車を頼みます！　待ってろよ！　服部!!」

コナンはそう言うとスケボーに乗り、急発進した。怪盗キッドのハンググライダーが飛んでいった大阪湾へ向かう。


エッグの木箱を抱えた怪盗キッドは、ハンググライダーで大阪湾に向かって飛んでいた。高度を下げて着陸場所に近づいたとき、怪盗キッドはふと地上を見た。すると、人気のない陸橋に人が立っていた。その人影は、銃を空に向けている。

狙われているとわかった瞬間――右目に鋭い衝撃を受けた。バランスを崩したハンググライダーが落ちていく――。

スケボーに乗ったコナンが陸橋をくぐったとき、背後でカラン……と何かが落ちた音がした。

驚いて振り返ると、陸橋に立った人影が銃らしきものを空に向けているのが見えた。

「あれは……!?」

コナンは銃が向いた方を見上げた。すると、怪盗キッドのハンググライダーが大阪湾の方へと落ちていくのが見えた。

コナンはハンググライダーが落ちていった方へ進んだ。真っ暗な波止場に、何かが落ちている。それは、白い鳩だった。飛べずにバタバタと羽を動かしている。

「この傷……」

コナンが抱きかかえると、鳩は羽に傷を負っていた。さらに近くにはこわれた木箱が落ちていた。

「エッグは無事だ……」

木箱はバラバラになっていたものの、中に入っていたエッグは壊れていなかった。そして、そのそばにはキッドの片眼鏡が落ちていた。レンズの部分が割れている。

「まさか、撃たれて海に……!!」

鳩をかかえたコナンは、真っ暗な海を振り返った。この海のどこかに、怪盗キッドが落ちてしまったのか——。

「すると、さっきの男……」

コナンは、陸橋で銃を空に向けていた人影を思い浮かべた。あの人影が怪盗キッドを撃ったに違いない。一体、何者なんだ——。

その晩。警察はヘリコプターや船舶を動員して海に落ちた怪盗キッドの捜索に当たった。しかし、懸命の捜索にも拘わらず、キッドの生死は確認できなかった。

翌、8月23日。

エッグは傷がないか調べるため、急きょ展示を取りやめて、鈴木家所有の船で東京へ持ち帰られることになった。

エッグを運搬する鈴木家の船は大きな豪華客船で、鈴木史郎と園子、秘書の西野をはじめ、コナン、蘭、小五郎、そして昨日社長室を訪れていた四人の客、さらに香坂夏美とその執事の沢部が乗っていた。

西野は金庫室に保管されたエッグを取り出すと、史郎たちがいる隣の部屋のテーブルに置いた。その様子を、寒川がビデオカメラでずっと撮っている。

テーブルを囲むように、史郎、小五郎、園子、蘭、コナン、そして夏美がソファに座っていた。

「私の曾祖父は喜市と言いまして、ファベルジェの工房で細工職人として働いていました」

パティシエール（菓子職人）だという香坂夏美は、一同の前で自分の家系について話し始めた。

「曾祖父は現地でロシア人女性と結婚して、革命の翌年に二人で日本へ帰り……、曾祖母は女の赤ちゃんを産みました。ところが間もなく、曾祖母は死亡。9年後、曾祖父も45歳の若さで亡くなったと聞いています」

「その赤ちゃんというのが……」

史郎がたずねると、夏美は「私の祖母です」と答えた。

「祖父と両親は、私が5歳のときに交通事故で亡くなりまして、私は祖母に育てられたんです」

「その大奥様も、先月亡くなられてしまいました」

夏美の背後に立っていた香坂家の執事、沢部蔵之助（65）が言い添える。

「私はパリで菓子職人として働いていたんですが、帰国して祖母の遺品を整理していましたら、曾祖父が描いたと思われる古い図面が出てきたんです」

夏美はそう言うと、バッグから図面を出してテーブルに広げた。

「真ん中が破れてしまってるんですが……」

夏美が言うとおり、エッグが描かれた図面はエッグの真ん中あたりで2枚に分かれていた。図面の下部には『MEMORIES』の文字がある。

「メモリーズ……確かにメモリーズ・エッグだ！」

テーブルに手をついて図面をまじまじと見た史郎は、目を丸くした。

「しかし、これには宝石が付いている……」

図面のエッグには、細工が施されたところに宝石が付いていた。対して、鈴木家のエッグには宝石が付いていない。

「元々は宝石が付いていたのに、取れちゃったんじゃないでしょうか？」

小五郎が言うと、史郎は腕を組んで「うーん……」と唸る。

コナンはソファから立ち上がり、図面を近くでよく見た。

「ねぇ、もしかしたら、卵は二つあったんじゃない？」

「え？」

「だって、ほら」

コナンは二つに分かれた図面のエッグを指差した。

「一つの卵にしちゃ、輪郭が微妙に合わないじゃない」

コナンの言うとおり、図面のエッグは上の紙と下の紙では大きさが微妙に異なっていた。下の方が小さいのだ。二つの紙を合わせても、エッグの輪郭はぴったりと合わない。

「ホントはもっと大きな紙に2個描いてあったのが、真ん中の絵がごっそりなくなってるんだよ！」

「なるほど……」

史郎が感心する中、コナンはエッグを手に取って調べてみた。すると、エッグの下に、小さな円い鏡がはめ込まれていた。

（こんなところに鏡が……）

コナンが人差し指で鏡に触ると、ポロッと取れてしまった。

「あっ、やべ！」

「何をやっとるんだ、お前！」

コナンは慌てて鏡を拾い、怒鳴りつける小五郎に見せた。

「か、鏡が付いてたけど、取れちゃった……」

「何ィ!?」

「コナン君……！」

慌てる小五郎と蘭に、園子は「あ、大丈夫」と手をひらひらさせた。

「あの鏡、簡単に外れるようになってんの。どうやら後からはめ込んだみたいなのよね」

園子の言葉を聞いてホッとしたコナンは、持っていた鏡を動かして、いろいろな角度から見てみた。すると、照明の光が鏡に当たって、コナンの手のひらに何かが映った。

（なんだ？　何か映ってるぞ。これはもしかして……！）

「西野さん！　明かりを消して！」

コナンはスイッチの近くに立っている西野に声をかけた。

「え？　あ、ああ」

「くぉら！　勝手なことを——」

小五郎が怒鳴りつけると同時に、照明が消されて薄暗くなった。コナンは腕時計をポケットから取り出すと、ライトの光を鏡に当て、鏡面で反射した光を壁に映した。

「あ……！」「ああ……！」

一同は壁に浮かび上がったものを見て驚いた。洋風の城の絵が壁に映っているのだ。

「ど、どうして絵が……？」

セルゲイが驚いていると、乾が「魔鏡だよ」と言った。

「魔鏡？」

「聞いたことがあるわ。鏡を神体化する日本と中国にあったと……」

青蘭の言葉に、乾は「そう」とうなずいた。

「鏡に特殊な細工がしてあってな。日本では隠れキリシタンが、壁に映し出された十字架を密かに祈っていたと言われている」

夏美がソファから立ち上がった。

「沢部さん、このお城……」

「はい。横須賀のお城に間違いありません」

沢部が断言すると、蘭が「え……」と声を上げた。

「横須賀のお城って、あのＣＭ撮影とかによく使われる？」

「はい」

夏美は再びソファに腰かけ、蘭と向き合った。

「元々、曾祖父が建てたもので、祖母がずっと管理してたんです」

「じゃあ、あれは香坂家のお城だったんだ」

園子が言うと、小五郎は「夏美さん」と声をかけた。

「二つのエッグは、あなたのひいおじいさんが作ったものじゃないでしょうか？」

小五郎の言葉に、客人たちはハッと息を飲んだ。

「あなたのひいおじいさんは、ロシア革命の後で、夫人と共に自分が作った２個のエッグを日本に持ち帰ったんです」

小五郎はそう言うと、テーブルの図面を手に取った。

「恐らく、この2個目のエッグに付いていた宝石のいくつかを売って、横須賀に城を建て、このエッグを城のどこかに隠したんです。そして、城に隠したというメッセージを、魔鏡の形で別のエッグに残したんですよ！」

「あの、実は……」

夏美は、バッグから古そうな鍵を取り出して見せた。

「図面と一緒に、この古い鍵もあったんですが、これも何か……？」

「それこそ、2個目のエッグを隠してあるところの鍵に違いありません！」

小五郎の推理に、みんな納得したようだった。

「宝石の付いた幻のエッグ……」

セルゲイがつぶやくと、隣に立った乾が目を輝かせて言った。

「もし、それが見つかったら10億……いや、15億以上の値打ちがあるぜ！」

宝石の付いていないエッグを怪盗キッドが狙うのはおかしいと思ったが、2個目のエッグは宝石が付いている。

(だからキッドが狙ったのか？　いや……)

コナンが思案にくれていると、夏美が「毛利さん」と声をかけた。

「東京へ戻ったら、一緒にお城へ行っていただけませんか？」

「いいですとも！」

小五郎が返事するやいなや、

「私も同行させてください！」

「俺もだ！」

「頼む！　ビデオに撮らせてくれ！」

「私もぜひ！」

客人たちがこぞって懇願した。

「はい、一緒に行きましょう」

快諾する夏美のそばで、コナンは客人たちの顔を見た。

(なんだ？　みんなの目の色が変わったぞ。二つ目のエッグも狙うつもりなのか……!?)

コナンと蘭は、自分たちの客室で、白い鳩に巻いた包帯を取り替えた。

「うん。出血は止まったし、傷口さえ塞がれば、また飛べるようになるわ」

「ホント？　よかった！」

コナンが喜ぶと、ソファに腰かけた蘭は窓の外の海を見つめた。

「……服部君も幸い軽い捻挫で済んだけど、キッドは死んじゃったのかなぁ」

怪盗キッドがあんなことで死ぬわけがない。

（もしかしたら、すでにこの船に……）

そのとき、ドアをノックする音がした。

「はーい」

蘭がドアを開けると——ビデオカメラを回した寒川が立っていた。

「いーねぇ、その表情。いただきィ！」

寒川はそう言ってウインクすると、さっさと廊下を歩いていく。

（なんなんだ？　一体……）

コナンがあきれながら寒川の後ろ姿を見ていると、

「はーい、蘭！　遊びに来たよ！」

園子が西野と夏美を連れてやってきた。

「夏美さんと西野さんも……さぁ、どうぞ」

「お邪魔します」「失礼します」

蘭が招き入れると、園子に続いて、夏美と西野も部屋に入ってきた。すると人の気配に気づいて、カゴで休んでいた鳩がバサバサと翼をはためかせる。

「あっ！　僕、やっぱり遠慮します！」

部屋に入りかけた西野は、突然、きびすを返して去っていった。

「およ……？」

園子たちはきょとんとする。

「そっかぁ！　美女ばっかだから照れてんだぁ！　カワイイ♥」

園子はそう言うと、いきなりコナンの手をつかんだ。

「もう一人の美女、忘れてた。呼んでくる！」

「うん、青蘭さんね」

「行くぞ、おチビちゃん！」

「ボクも行くの？」

コナンは園子に無理やり引っ張られて、青蘭の客室に向かった。

園子が青蘭の客室をノックすると、丈の短い赤のチャイナドレスを着た青蘭がドアを開けた。

「はい、ありがとうございます。すぐ用意しますから、ちょっと待ってください」

青蘭が部屋の奥に戻ると、コナンはデスクの上に置かれた写真立てに目が行った。写真立ての裏に〈Ｇｒｉｇｏｒｉｉ〉と書かれている。

「グリゴリー……」

「あ、もしかしてそこにあるのは彼の写真？」

園子がたずねると、青蘭は驚いた顔をして、「ええ、まあ……」と写真立てを裏返しに伏せた。

「いいなあ、みんな旦那がいて……」

園子がうらやましそうにつぶやく。

「こんなことだったら、絶対キッドをゲットしとくんだった！」

真面目な顔をして言う園子に、コナンは苦笑いした。

（オメーがゲットできんなら、警察は苦労しねーよ……）


蘭の客室に女性四人がそろったところで、ティータイムが始まった。お菓子と紅茶を飲みながら、おしゃべりに花を咲かせる。

「じゃあ夏美さん、二十歳のときからずっとパリで暮らしてるんですか？」

蘭がたずねると、夏美は「そうなの」とうなずいた。

「だからときどき、変な日本語使っちゃって。あ、変な日本語って言えば、子どものときから妙に耳に残って離れない言葉があるのよね……」

「ヘエー、なんですか？」

園子がクッキーを片手にたずねる。

「バルシエ、ニクカッタベカ」

「え？」

園子と蘭は目をパチクリさせた。

「『バルシェは、肉を買ったかしら』って意味だと思うんだけど、そんな人の名前に心当たりないのよね」

夏美が苦笑いする。その隣でジュースを飲んでいたコナンは、夏美の瞳の色が薄いことに気づいた。

「あれ？　夏美さんの瞳って……」

「そう、灰色なのよ」

夏美はそう言って、コナンに顔を近づけて瞳を見せた。

「母も祖母も同じ色で、多分、曾祖母の色を受け継いだんだと思う」

「そういえば、青蘭さんの瞳も灰色じゃない？」

青蘭の隣に座った蘭が言うと、皆が一斉に青蘭の顔を見た。

「ホントだ！　中国の人も灰色なのかな？」

園子に続き、蘭が「あのォ」と声をかける。

「青蘭さんって、青い蘭って書くんですよね？　私の名前も蘭なんです」

「セイランは日本語読みで、本当はチンランと言います。青がチン、蘭はラン、浦思はプースで、プース・チンランです」

「蘭は中国読みでもランなんですね」

蘭が言うと、青蘭は「そうです」とうなずいた。

「毛利はマオリ」

「じゃあ、わたしの名前はマオリ・ランか。なんか可愛くていいなあ」

喜ぶ蘭の隣で、園子が「ねえねえ、わたしは？」と訊いた。

「鈴木園子さんは、リンムゥ・ユィ・アンツ」

「リ、リンム、ユ、アンツ……？」

園子はおでこに手を当てながら、難しい発音を繰り返した。

「あの、青蘭さんって、私と同い年くらいだと思うんですけど……」

夏美がたずねると、青蘭は「はい、27です」と答えた。

「やっぱり！　何月生まれ？」

「5月です。5月5日」

「え⁉　私、5月3日！　2日違いね！」

嬉しげに微笑む夏美の隣で、コナンが言った。

「じゃあ、二人ともボクとは1日違いだ！」

（え⁉）

蘭は思わず耳を疑った。

（1日違いって……5月4日？　新一と同じじゃない！）

蘭は無邪気に笑っているコナンを見た。その笑顔が、新一の笑顔と重なる。

（もしかして、やっぱりコナン君は……）

一瞬、コナンと新一が同一人物なんじゃないかという考えが頭をよぎった。が、すぐに頭を振って打ち消す。

（バカね……そんなことあるわけないじゃない。いつもあいつのことばっか考えてるから……。ホント、わたしってバカ……）

皆が雑談で盛り上がる中、蘭は一人浮かない顔でうつむいていた。

日が傾いて海が赤く染まる頃、コナンは青蘭や夏美と一緒にデッキへ出た。

デッキでは史郎と小五郎、そして寒川がテーブルを囲んでビールを飲んでいて、小五郎が青蘭たちに気づいた。

「おお！　夏美さんと青蘭さん！」

「よろしいですか？」

「どーぞ、どーぞ！」

小五郎と史郎は椅子を引き、青蘭と夏美を座らせた。コナンは隣のテーブルの椅子に座る。

丈の短いチャイナドレスを着た青蘭が足を組むと、小五郎は「オホー♡」と鼻の下を伸ばした。

「いやあ、色っぽくていいですなあ！」

（しょーがねーな、このオヤジ……）

コナンが苦笑いしていると、ご機嫌の小五郎は青蘭のグラスにビールを注いだ。

「ささ、どーぞ！」

「ありがとうございます」

グラスを持った青蘭は、寒川の胸元に光るペンダントを見つけて、目を見張った。

「寒川さん、そのペンダント……」

青蘭が声をかけると、寒川はニヤリと笑った。

「ほぉ……さすがロマノフ王朝研究家。よく気づいたな」

そう言ってペンダントを外すと、「見るかい？」と青蘭に手渡した。

（あれ？　あの人、あんなもの着けてたっけ……？）

コナンは昼間の寒川を思い浮かべた。金庫室の隣の部屋にいたときや、蘭の客室を訪れたときは、ペンダントなんて着けていなかったような気がする。

ペンダントを受け取った青蘭は、ペンダントトップになっている指輪の内側を覗いた。

〈Ma РИЯ〉とロシア語の刻印がある。

「マリア……まさかこれは、ニコライ二世の三女、マリアの指輪!?」

「アンタが言うんなら、そーなんだろ？」

寒川は青蘭からペンダントを返してもらい、再び首に着けた。

「それをどこで!?」

青蘭が食い気味にたずねると、寒川はフッと笑って立ち去った。

「……本物っスかね？」

一部始終を見ていた小五郎が、青蘭にたずねる。

「さあ……詳しく鑑定してみないと……」

そのとき、西野がトレイにビール瓶とグラスを載せてやってきた。

「おい西野君、ボールペン落ちそうだぞ」

「え？」

史郎に言われて、西野はズボンの後ろポケットに入れたボールペンを深く入れ直した。


ペンダントを首からぶら下げた寒川は、デッキを歩き、客室に向かった。

その姿を、乾は上階のデッキから見ていた。セルゲイは柱の陰から、そして沢部は客室に通じる扉のそばのベンチに腰掛けてパイプをふかしながら。

誰もが怪しげな目つきで、寒川の首にぶら下がったペンダントを見ていた——。

その夜。ある人物が寒川の客室を訪れた。

その人物は、サイレンサーが付いた銃を持っていた。部屋に入るやいなや、寒川に銃口を向ける。

「あ……あ、あ……」

銃口を向けられた寒川は、恐怖に目を見開きながら、じりじりと後ずさりした。その胸元をレーザーサイトの赤い点が移動して、寒川の右目で止まる。

人物は引き金を絞った。パシュッと低い音を立てて銃が火を噴くと、寒川は後ろ向きに倒れた。ぶつかったテーブルから湯呑みの蓋が落ちて、床を転がる。

そのとき、ベッドサイドのデジタル時計が、7時29分から30分に変わった。

4

「毛利さん！　毛利さん、いますか⁉」

小五郎が部屋で夕食を待っていると、西野の声と共にドアをドンドン叩く音がした。

「ああ、やっとメシッスか？」

ドアの向こうには、青ざめた西野が立っていた。

「大変なんです！　寒川さんが……寒川さんが、部屋で死んでます‼」

「何っ⁉」

西野の声を聞いて、コナンと蘭が隣の客室から出てきた。四人で寒川の客室へ向かう。

寒川の客室の前には、史郎と園子が青ざめた顔で立っていて、コナンたちは開いたままのドアから部屋を覗いた。

寒川は、ドアの正面で仰向けに倒れていた。頭の辺りから血が流れて床に溜まっている。

「寒川さん……」

部屋はひどく荒れていた。観葉植物の鉢や灰皿などが床に落ちていて、デスクの引き出しやクローゼットは荒らされ、ベッドサイドの受話器も外れていた。さらに枕が切り裂かれて、部屋中に羽毛が飛び散っている。

コナンは寒川の遺体に近づいた。

「右目を撃たれている……」

銃で撃ち抜かれた寒川の右目を見たとたん、コナンは波止場に落ちていた怪盗キッドの片眼鏡を思い出した。

（あのとき、キッドも右目を……!?）

そのとき突然、小五郎がコナンの襟首をつかんで持ち上げた。

「コラァ！　ガキは引っ込んでろ!!」

と、コナンを扉の方へ放り投げる。扉のそばに背中から落ちたコナンに、蘭が歩み寄る。

「大丈夫？」

コナンは「ちぇっ！」と舌打ちして、遺体の方を振り返った。

「頬の硬直が始まったばかりだ。死後30分ほどしか経ってないな……」

寒川の頬に触れた小五郎は、ふと、寒川の首元を見た。すると、デッキで青蘭に見せたペンダントがない。

「指輪のペンダントがなくなってる……！」

小五郎は立ち上がり、ドアの方を振り返った。

「鈴木会長、これは殺人事件です。警察に連絡を！」


史郎から連絡を受けた捜査一課の目暮十三警部は、高木渉巡査部長や鑑識員を連れて鈴木家の客船に向かうことにした。警視庁のエレベーターを降りると、大きなバッグを肩に掛けた白鳥任三郎警部補が前から歩いてきた。

「あ、目暮警部」

「白鳥君！　休暇で軽井沢じゃなかったのかね」

「別荘にいても退屈なんで……」

ばつが悪そうに頬をかいた白鳥は、急に真面目な顔になった。

「事件ですか？」

「ちょうどいい。君も一緒に来てくれ！」

警視庁のヘリコプターが鈴木家の客船のヘリポートに着陸すると、小五郎と史郎が出迎えた。

「警部殿！　お待ちしておりました！」

ヘリコプターを降りた目暮は、小五郎を見るなり、げんなりという顔をした。

「つたく、どうして君の行くところに事件が起こるんだ？」

「いやあ、神の思し召しというか……」

小五郎が言うと、白鳥が後ろから近づいてきた。

「毛利さん自身が神なんじゃないですか？　死に神と言う名の……」

「！」

白鳥の皮肉に、小五郎は思わず言葉に詰まる。すると、

「白鳥警部補、きっつ～」

一番後ろを歩いてきた高木がつぶやいた。その右目の上に絆創膏が貼られている。

「ん？　なんだ、その絆創膏？」

「え!?　あ、いえ……」

高木は慌てた様子で絆創膏を隠した。

「昨日ちょっと犯人とやりあっちゃって……」

小五郎は高木を訝しげに見つめた。


目暮が連れてきた鑑識員たちは、さっそく寒川の客室で現場検証を行った。一人は遺体の写真を撮り、後の二人は荒らされた室内を調べる。

「被害者は寒川竜さん、32歳。フリーの映像作家か……」

目暮が手帳のメモを見ながらつぶやくと、小五郎が「警部殿！」と前のめりに話しかけた。

「これは強盗殺人で、犯人が奪ったのは指輪です！」

「指輪……？」

「はい！　ニコライ二世の三女、マリアの指輪で、寒川さんはペンダントにして首から下げていました！」

コナンは開いた扉のそばで力説する小五郎の横を通り、部屋の中へ入っていった。

「指輪を盗るだけなら、首から外せばいいだけでしょ」

コナンの言葉に、目暮たちが目を丸くする。さらにコナンは、羽毛が散らばったベッドを指差した。

「でも、部屋を荒らした上に、枕まで切り裂いているのはおかしいよ！」

「こいつ、またチョロチョロと！」

勝手に部屋に入ってきたコナンを、小五郎がつかまえようとすると、

「目暮警部！　床にこれが！」

鑑識員が目暮に近づき、持っていたものを渡した。

「……ボールペンか」

目暮はボールペンをくるりと回した。すると、クリップの横にアルファベットの文字が

刻印されていた。

「M・NISINO……？」

「……え？」

目暮の言葉に、コナンは驚いた。


目暮、小五郎、白鳥は、乗客が集まっているラウンジに向かい、西野にボールペンを見せた。

「このボールペンは、西野さん、あなたのものに間違いありませんね？」

「は、はい……」

そう答えつつも、西野は怪訝そうな顔をした。

「でも、それがどうして寒川さんの部屋に？」

「遺体を発見したのは、あなたでしたな？」

小五郎がたずねると、西野は「そうです」と答えた。

「食事の支度ができたので、呼びに行ったんです」

「そのとき、中に入りましたか？」

目暮の問いに、西野は「いいえ」と首を横に振った。

「入ってないアンタのボールペンが、なぜ部屋の中に落ちてたんだ⁉」

小五郎が強い口調でたずねる。

「わかりません」

「では、7時半頃、何をしていました？」

目暮の問いに、西野は「えーと……」と思い出しながら話し出した。

「7時10分頃、部屋でシャワーを浴びて、その後ひと休みしていました」

ソファに座って西野たちの話を聞いていた園子は、「パパ」と隣の史郎に声をかけた。

「まさか、西野さん……」

「いや、そんなはずはないと思うが……」

西野が目暮たちに疑われているのは明らかだった。

コナンは顎に手を当てながら、険しい目つきで西野を見つめた。

(もし、西野さんが寒川さんを殺害した犯人なら、キッドを撃った犯人も、西野さんの可能性が高くなる……）

考えこんでいたコナンは、蘭の観察するような視線に気づかなかった。すると、

「目暮警部！」

寒川の部屋を調べていた高木が、走ってラウンジに入ってきた。

「被害者の部屋を調べたところ、ビデオテープが全部なくなっていました！」

「何っ!?」

「そうか！　それで部屋を荒らしたんだな!!」

小五郎がピンと来たと同時に、コナンは走り出した。

「こら、コナン！　勝手に動くんじゃ……」

「あ、いいの！　わたしが！」

蘭はコナンを追いかけて、ラウンジを出ていった。

しかし想像以上にコナンの足が速く、廊下に出てみたもののコナンは見当たらない。蘭は吹き抜けになった階段を横切り、客室の方へ向かった。公衆電話コーナーの入り口の前でふと足を止めると、いきなり背後から肩を叩かれた。

驚いてその手を払いのけて振り返る。白鳥が立っていた。

「蘭さん、銃を持っている犯人がうろついているかも知れません。皆さんのところへ戻ってください」

「でも、コナン君が……」

「彼は僕が連れ戻しますから」

白鳥はそう言って蘭の肩をつかみ、ラウンジの方へと押し出した。

「あの……」

「任せといてください」

穏やかだけど有無を言わせない口調に、蘭は仕方なくラウンジに戻っていく。


公衆電話コーナーでは、コナンが阿笠博士に電話をかけていた。

「あ、博士？　オレだけど、大至急調べてほしいことがあるんだ」

コナンは船上で起きた殺人事件のことを話した。おそらく犯人は、エッグを盗んだ怪盗キッドも撃ったに違いない。そして怪盗キッドも寒川も右目を撃たれている。そんな特徴的な殺し方をする犯人は、きっとどこかに情報が残っているはずだと思った。

『何っ!? 右目を撃つスナイパーじゃと? わかった、調べてみる。10分後にまた電話をくれ!』

「10分か……」

電話を切ったコナンは、腕時計を見た。

そのとき、背後から鋭い視線を感じた。公衆電話コーナーを飛び出し、廊下に出るが――誰もいない。

（気のせいか……）

コナンは公衆電話コーナーに戻り、10分経ったところで、再び阿笠博士に電話をかけた。

『わかったぞ、新一!』

電話に出た阿笠博士は、開口一番に言った。

『ICPO（国際刑事警察機構）の犯罪情報にアクセスしたところ、年齢不詳、性別不明の強盗が浮かんだ! その名は、スコーピオン!』

「スコーピオン……!?」

蠍という意味の名前を、コナンはつぶやいた。

その頃。白鳥は一人でデッキを歩いていた。夜空には星が散らばり、煌々と輝く半月が白鳥の頬を照らす。

白鳥は、手すりの向こうに下りているケーブルワイヤーに気づいた。救命艇を吊るケーブルワイヤーだ。

上を見ると、吊るされているはずの救命艇が一艘なくなっていた。

目暮は西野を彼の客室に連れていき、彼の前で高木に部屋を調べさせた。すると、

「目暮警部！　ありました！　西野さんのベッドの下に!!」

高木はベッドの下から寒川のペンダントを見つけた。

「そんなバカな……!!」

西野は愕然とした。

「決定的な証拠が出たようですな」

「待ってください、警部さん！　私じゃありません‼」

西野は目暮のスーツの襟をつかんで訴えた。小五郎が西野を引き離す。

「アンタが犯人でないなら、どうして指輪があったんだ⁉」

「わかりません！　私にも……」

コナンは問答する二人の横をすり抜け、部屋の中へ入っていった。ペンダントが見つかったベッドの前に立つ。

（犯人は十中八九、スコーピオンだ。だとしたら、西野さんがスコーピオンということに……）

考えていたコナンは、ふとベッドの枕に目が行った。自分たちや寒川の部屋にあった枕とは形が違う。触ると、ジャリジャリと音がする。

（もみがらの枕……？）

「コォナァ――――ン‼」

小五郎が勝手に部屋に入ってきたコナンにゲンコツをお見舞いしようとした。が、コナンがするりと拳をかわしたので、小五郎は頭からベッドに突っ込む。

「ねえ、西野さんって、羽毛アレルギーなんじゃない？」

小五郎の拳を免れたコナンは、西野に訊いた。

「え？　そうだけど……」

「じゃあ、西野さんは犯人じゃないよ！」

コナンが言ったとたん、白鳥が鋭い視線を向けた。その射るような目つきにコナンが驚いていると、すぐに穏やかな顔つきになった。

「いいから続けて」

「う、うん……」

コナンは不審に思いつつも、話を続けた。

「だってほら、寒川さんの部屋、羽毛だらけだったじゃない？　犯人は羽毛枕まで切り裂いてたし、羽毛アレルギーの人があんなことするはずないよ！」

「……本当に羽毛アレルギーなのかね？」

目暮は疑わしそうにたずねた。

西野が羽毛アレルギーというのはどうやら本当らしく、史郎も彼のアレルギーについては知っていた。

「はい、それは私が証人になります」

ラウンジで目暮から訊かれた史郎は、きっぱりと答えた。

「彼は少しでも羽毛があるとクシャミが止まらなくなるんです」

「だから、西野さんの枕は羽毛じゃないんだね」

史郎やコナンの言葉を聞いて、園子は「そっか！」と手を叩いた。

「西野さんが蘭の部屋から逃げるように出ていったのは、鳩がいたからなんだ！」

「となると、犯人は一体……」

考え込む目暮に、コナンは「警部さん」と声をかけた。

「スコーピオンって知ってる？」

「スコーピオン？」

「いろんな国でロマノフ王朝の財宝を専門に盗み、いつも相手の右目を撃って殺してる悪い人だよ」

「おお……そういえば、そんな強盗が国際手配されておったな……」

スコーピオンの存在を思い出した目暮は、「え!?」と目を見開いた。

「それじゃ、今回の犯人も!?」

「そのスコーピオンだと思うよ。多分、キッドを撃ったのも」

「なんだって!?」

コナンの言葉に、目暮たち刑事はもちろん、セルゲイや青蘭たち客人も目を見張った。

コナンが話を続ける。

「キッドの片眼鏡にヒビが入ってたでしょ？　スコーピオンはキッドを撃って、キッドが手に入れたエッグを横取りしようとしたんだよ！」

「なんでお前、スコーピオンなんて知ってんだよ？」

小五郎の突っ込みに、コナンはギクリとした。

「あ、いや、でも、あれが、つまり……」

コナンが必死に言い訳を考えていると、

「阿笠博士から聞いた」

白鳥が言った。

「そうだよね、コナン君」

「あ、うん、そう……」

笑顔で答えながらも、コナンは内心、ヤベェと焦った。

（博士と電話しているとき、感じた視線は白鳥刑事だったのか……）

視線の持ち主がわかったと同時に、難波布袋神社で引いたおみくじがコナンの頭をよぎった。旅行の項目に『秘密が明るみにでます』と書かれていた、あのおみくじだ。

（秘密が明るみに出るって……あれって、白鳥刑事のことか⁉）

おみくじのことを考えているコナンを、ソファに座った蘭はじっと見つめていた。その目はどこか疑いの光を宿している。

「しかし……」目暮は小五郎の方を向いて言った。

「スコーピオンが犯人だったとして……どうして寒川さんから奪った指輪を、西野さんの部屋に隠したんだ？」

「それが、さっぱり……」

小五郎は困った顔で天井を仰いだ。

コナンは、西野の部屋に寒川の指輪を隠した犯人が誰なのかわかっていた。

いつもならここで小五郎を眠らせて、小五郎の声色を使って推理を語るのだけれど……。

(弱ったな。白鳥刑事の前でうかつに時計型麻酔銃を使うわけには……)

仕方ねぇ、とコナンは西野の方を向いた。

「ねえ、西野さんと寒川さんって、知り合いなんじゃない？」

「え？」

「昨日、美術館で寒川さん、西野さんを見てビックリしてたよ」

コナンは社長室で見かけたことを、子どもっぽい口調で話した。

「ホントかい？」

「西野さんって、ずっと海外を旅して回ってたんでしょ？　きっとそのときどこかで会ってるんだよ！」

コナンの言葉に、西野は頭に手を当てて「うーん……」と考え始めた。そして、

「あ――っ!!」

「知ってるんですか⁉ 寒川さんを」

目暮がたずねると、西野は「はい！」と力強く答えた。

「3年前にアジアを旅行していたときのことです。あの男、内戦で家を焼かれた女の子を、ビデオに撮っていました。注意してもやめないので、思わず殴ってしまったんです……」

「じゃあ寒川さん、西野さんのこと恨んでるね、きっと！」

コナンは答えを誘導するように言って、小五郎の方をチラリと振り返った。

「わかった！」

と、小五郎が手のひらを叩く。

「西野さん、アンタがスコーピオンだったんだ‼」

(オイオイ……)

小五郎のポンコツな推理に、コナンはガクリと肩を下げた。

「毛利君、それは羽毛の件で違うとわかったじゃないか」

「ああ、そうでしたなァ……」

目暮に指摘されて、小五郎はばつが悪そうに頭をかいた。

コナンは仕方なく、ダメ押しでさらにヒントを与えることにした。

「でも西野さん、助かったね！」

「え？」

「だって、もし寒川さんがスコーピオンに殺されてなかったら、西野さん、指輪泥棒にされてたよ！」

「……ん？　待てよ」

コナンの言葉を聞いて、小五郎は何やら考え始めた。そして、

「そうか！　この事件、二つのエッグならぬ二つの事件が重なっていたんです！」

ようやくコナンが導いた答えにたどり着いたようだった。

「二つの事件……？」

目暮が目を丸くするそばで、コナンは（そうそう）とニヤリと微笑む。

小五郎はキリッと真面目な顔で話し始めた。

「一つ目の事件は、寒川さんが西野さんをはめようとしたものです。彼は西野さんに指輪泥棒の罪を着せるため、わざとみんなの前で指輪を見せ、西野さんがシャワーを浴びてい

る間に部屋へ侵入し、自分の指輪をベッドの下に隠したんです。そして、ボールペンを盗った」

小五郎の推理は、コナンが導いただけあって、完璧だった。

「ところが、その前に第二の事件が起こったんです。寒川さんはスコーピオンに射殺された。目的はおそらく、スコーピオンの正体を示す何かを撮影してしまったテープと指輪。しかし、首から掛けてあったはずの指輪が見つからないので、スコーピオンは部屋中を荒らして探したんです！」

「スゴイや、おじさん！　名推理だね!!」

コナンがほめたたえると、小五郎は両手を腰に当て、フンと得意げに胸を張った。

「俺にかかればこのくらい！」

コナンはこっそり苦笑いした。コナンがヒントを出さなければ、永遠に真実にたどり着けなかっただろうに。

小五郎の推理を聞いて、目暮はうむ、と顎に手を当てた。

「ということは、スコーピオンはまだこの船のどこかに潜んでいるということか!?」

「そのことなんですが……」

白鳥が声を上げる。「救命艇が一艘なくなっていました」

「何ッ!?」

「それじゃあ、スコーピオンはその救命艇で……」

小五郎が言うと、白鳥はうなずいた。

「緊急手配はしましたが、発見は難しいと思われます」

「取り逃がしたか……」

目暮が悔しそうに歯噛みする。

救命艇がなくなったことにより、スコーピオンは救命艇で逃げたと誰もが思った。けれど、コナンはどこか違和感を覚えていた。

(本当にスコーピオンは逃げたのか……?)

コナンは鋭い眼差しで一点を見つめながら、考えた。蘭はそんなコナンの様子を観察するかのように、熱心に見つめている。

小五郎たちの話をソファに座って聞いていた乾は、ホッと息をついた。

「何はともあれ、殺人犯がこの船にもういないとわかって、ホッとしたぜ。なァ？」

皆に同意を求めると、沢部は「はい、安心しました」と言った。そのそばで、セルゲイは無言で乾に険しい眼差しを向ける。

白鳥は「しかし」と夏美の方を見た。

「スコーピオンがもう一個のエッグを狙って、香坂家の城に現れる可能性はあります」

「え!?」

「いや、すでに向かっているかも……」

独り言のようにつぶやくと、白鳥は目暮の方を向いた。

「目暮警部。明日、東京に着きしだい、私も夏美さんたちと城へ向かいたいと思います」

「わかった。そうしてくれ」

目暮が承諾すると、小五郎は「オイ」とコナンに顔を近づけた。

「聞いたとおりだ。今度ばかりは絶対に連れていくわけにはいかんからな！」

「いえ、コナン君も連れていきましょう」

白鳥の提案に、小五郎は耳を疑った。「何ッ!?」

「彼のユニークな発想が、役に立つかもしれませんから」

「コイツの？」

小五郎がきょとんとしながら、コナンを指差す。

「ええ……」

白鳥はそう言って、冷ややかな笑みを浮かべた。

5

8月24日。

コナンたちを乗せた鈴木家の客船が東京港に着く頃、元太、光彦、歩美は阿笠博士の家に向かっていた。

「つたく。頭にくるよな、コナンの奴！」

「ホント！　大阪に行ったきり、全然連絡してこないんだもん！」

「少年探偵団の一員という自覚がないんですよ、彼には！」

コナンに対する不満を言いながら歩いていると、灰原が家の門のところに立っていた。

道路脇には阿笠博士の車、ビートルが停まっている。

「博士、まだ見つからないの？　免許証」

灰原は家の中に向かって声をかけた。

「確かこの辺に置いたんじゃがのう……」

「早くしないと、江戸川君、先に着いちゃうわよ」

灰原はあきれた顔をしながら、家の中へ入っていく。

門の外から覗いた三人は、「ふーん」「ニヒヒ」と悪そうな笑みを浮かべた。


結局、灰原が阿笠博士の運転免許証を見つけて、無事出発することができた。

「いやァ、哀君は探し物を見つけるのがうまいのォ」

阿笠博士が車を走らせながら言うと、後部座席に被さった大きな布がモゾモゾと動いた。

「……どうやらもう一つトラブルが見つかったみたい」

「ン？」

阿笠博士が後部座席を振り返ると、

「じゃ〜〜〜ん!!」

子どもたちが勢いよく布から飛び出した。

つた。

「ぎゃあ〜〜〜〜!!」

ビックリした阿笠博士は思わずハンドルを左に切って、ガードレールに衝突しそうにな
った。

鈴木家の客船が東京港に到着すると、コナンたちは二台の車に分かれて乗り、横須賀に向かうことになった。白鳥が運転する車に青蘭、夏美、沢部が乗り、コナン、小五郎、蘭、セルゲイはタクシーに乗る。

タクシーが白鳥の車に続いて高速道路を走っていると、助手席のセルゲイが「毛利さん」と後部座席を振り返った。

「寒川さんの指輪、本当にマリアのものだったんでしょうか?」

「さあ……一応、目暮警部が預かって、鑑定に出すって言っていましたが……」

「マリアというのは四人姉妹の中でも一番優しい子で、大きな灰色の瞳をしていたそうです」

灰色の瞳と聞いて、コナンは夏美と青蘭の瞳を思い出した。

（夏美さんや青蘭さんと同じだ……）

「ロシア革命の後で、皇帝一家が全員射殺されたのはご存じと思いますが、マリアと皇太子の遺体だけは確認されてないんです」

「そうなんですか……」

と、あいづちを打つ蘭の隣で、コナンは「ふーん……」と両手を頭の後ろで組んだ。

横須賀に到着して、小高い山を車で上っていくと、やがて西洋風の城が見えてきた。

山の頂に凛とたたずむ白亜の城は、高い城壁に囲まれ、幾つもの青い屋根の尖塔が空高くそびえ立っている。

「わぁ……本当にきれいなお城！」

タクシーから降りた蘭は、胸の前で手を組んで城を見上げた。

「ドイツのノイシュヴァンシュタイン城に似てますね。シンデレラ城のモデルになったと言われている」

別の車から降りてきた白鳥の言葉に、コナンはあれ？　と思った。

（そういえば、どうしてドイツ風の城なんだ？　夏美さんのひいおばあさんは、ロシア人なのに……）

コナンが不思議に思っていると、開け放たれた城門から一台の車が入ってきた。阿笠博士の車だ。

「ゲッ！」

コナンは車から降りてきた子どもたちを見て、目を丸くした。

「よぉ、コナン！」

「コナンくーん！」

「元気ですかー⁉」

阿笠博士と灰原の後ろを、手を振りながら歩いてくる。

蘭も阿笠博士や子どもたちが来たのを見て驚いた。

「博士、どうしてここへ？」

「いや、コナン君から電話をもらってな。ドライブがてら来てみたんじゃよ」

阿笠博士はそう言うと、コナンにこっそり犯人追跡メガネのスペアを渡した。

「ほれ。君に言われたとおり、バージョンアップしといたぞ」

「サンキュ！」

コナンはすぐに掛けていたメガネと取り替えた。

「でも、なんでアイツら連れてきたんだよ？」

「それが、知らんうちに車に潜り込んでおってな……」

阿笠博士が苦笑いするそばで、子どもたちは城を見て無邪気にはしゃいでいた。

「まるでおとぎの国みたい！」

「この中に宝が隠されているんですね!?」

「うな重、何杯食えっかな？」

すると、怖い顔をした小五郎がツカツカと近づいてきた。

「いいか、お前たち！　中へは絶対入っちゃいかんぞ!!」

「はーい！」

「わかってまぁす！」

子どもたちは笑顔で答えた。

（おいおい、やけに素直じゃねーか……？）

コナンは怪訝そうに子どもたちを見つめた。

いつもなら文句を言ってわあわあ喚き散らすのに、こんなに素直に従うなんて……。

「乾さん、遅いですね」

セルゲイが門の方を見て言った。

「ええ、何か寄るところがあると言ってましたけど……」

白鳥も門の方を振り返ると、車の音が聞こえてきて、赤いステーションワゴンが入ってきた。

「いやぁ、悪い悪い。準備に手間取ってな」

車から降りてきたのは、大きなリュックを背負った乾だった。

「なんですか？　その荷物。探検にでも行くつもりですか？」

小五郎が不信そうにリュックを見ると、乾はハハハッと笑った。

「なぁに、備えあれば憂いなしってヤツですよ」

二人のやりとりを見ていた灰原は、そっとコナンに近づいた。

「用心することね。スコーピオンは意外と身近にいるかもよ」

「ああ、わかってる」

灰原と話しているコナンを、蘭は後ろからじっと見つめていた。

こうやって同級生といるコナンを見ていると、ごく普通の小学生に思えてくる。

でも……。

蘭の胸には、コナンへの疑念がくすぶり続けていた。


乾が遅れてやってきて、ようやく全員がそろうと、沢部が正面玄関の扉を開けた。夏美を先頭に、一同はぞろぞろと吹き抜けの広いホールへ入っていく。

皆が中に入り、沢部が扉を閉めようとすると、

「あ、鍵かけてください。子どもたちが入り込まないように」

小五郎が声をかけた。

「はい」

阿笠博士と子どもたちの前で、扉は無情にも閉められ、鍵を掛けられた。

子どもたちはがっかりするかと思いきや、元太は「よし！」と張り切って拳を握る。

「それじゃあオレたちも！」

「ン？　何をする気じゃ？」

「先に宝物を見つけるのよ！」

「別の入り口があるはずです！　探しましょう!!」

「あ、オイ！」

阿笠博士が止める間もなく、子どもたちは庭園の奥へと駆けていった。


コナンたちが沢部に最初に案内されたのは、一階にある広い部屋だった。

「ここは騎士の間です」

「西洋の甲冑とタペストリーが飾られています」

沢部が言うとおり、天井の高い部屋には大きな棚がいくつも並べられ、様々な種類の西洋甲冑が収められていた。両開きの扉の左右にも、二体の甲冑が飾られている。

次に案内されたのは、二階にある日当たりのよい部屋だった。

「ここは貴婦人の間です」

えんじ色の毛足の長いじゅうたんが敷き詰められた部屋には、壁一面の大きな風景画をはじめ、様々な大きさの絵が飾られていた。

「大奥様はよくここで一日中過ごしておられました。この部屋が一番気が休まるとおっしゃられて……」

大きな暖炉と、部屋の中央には花が活けられた円テーブルがあり、居心地のよい部屋だった。

次に案内されたのは、『貴婦人の間』の隣の部屋だった。

「こちらは皇帝の間でございます」

天井から大きなシャンデリアが吊り下げられた部屋は、天井や壁、柱などあらゆるところに彫刻が施され、大理石の彫像がいくつも置かれていた。皇帝の間らしく、どっしりとした重厚な部屋だ。

「なあ、ちょっとトイレに行きたいんだが……」

壁に飾られた大きな肖像画を見ていた乾は、沢部を振り返った。

「トイレなら、廊下を出て右の奥です」

乾は廊下に出ると、右ではなく左の方へ走った。そして『貴婦人の間』のドアを開けて、中に入る。すばやくドアを閉めた乾は、円テーブルのそばにリュックを置いて、壁に掛けられた絵画に近づいた。そして額を持ち上げて、壁を覗き込む。

乾は他の絵画でも同じ動作を繰り返した。そして、

「おッ！」

一枚の絵画の後ろに、隠し金庫があるのを見つけた。

「ヘッヘッヘ。思ったとおりだ」

乾はリュックから工具箱を取り出した。中に入っていた丸めた布を床に広げると、そこには鍵を開けるピッキングツールが何本も入っていた。乾はその中の一本を手に取り、金庫の鍵穴に差し込んで、カチャカチャと動かす。すると、ガチャッと錠が外れる音がした。

乾が金庫の扉を開けると、中に入っていたのは――あふれんばかりの宝飾品だった。大きな宝石が付いた腕輪や首輪、指輪などが積み上がっている。

「ほう……エッグはなさそうだが、まあいいか」

乾は宝飾品をつかもうと手を金庫の中へ入れた。すると突然、宝飾品の中から金属製の手枷が出てきて、乾の手首をつかんだ。

「なッ!? ぬぅ――ッ!!」

乾は腕を引っ張った。が、手枷は金庫に固定されていて、抜けない。すると、今度は乾の真上の天井が開いて、大量の剣が真っ逆さまに落ちてきた。

「うわぁぁ～～～～～ッ!!」

乾の叫び声を聞きつけて、白鳥と小五郎が『貴婦人の間』に飛び込んできた。

「こりゃ一体……」

小五郎は思わずつぶやいた。

壁の金庫に手を突っ込んだ乾の頭上に、鎖で繋がれた大量の剣がぶら下がっていたのだ。すんでのところで身を伏せて剣先を免れた乾は、すごい形相でハアハアと荒い息を立てていた。

「80年前、喜市様が作られた防犯装置です」

ドアの前に集まった一同から出てきた沢部が、鍵を持って乾に近づいた。

「この城にはまだ他にもいくつか仕掛けがありますから、ご注意ください」

そう言うと、手枷の鍵穴に鍵を差し込み、沢部の手首から手枷を外した。

白鳥が乾のリュックを調べると、ノコギリやドリルなど様々な工具が出てきた。

「つまり、抜け駆けは禁止ってことですよ、乾さん。道具は懐中電灯だけあれば十分でしょう」

そう言って、懐中電灯を乾に投げる。キャッチした乾は、悔しそうにチッと舌打ちした。

コナンも部屋の中に入ってきて、ぶら下がった大量の剣を興味深そうに見上げた。

(本当にからくりが好きなんだな、喜市さんは……)

となると——コナンは沢部に「ねぇ」と呼びかけた。

「このお城に地下室は?」

「ありませんが……」

「じゃあ、一階にひいおじいさんの部屋は?」

「それでしたら、執務室がございます」

コナンたち一同は『貴婦人の間』を出て、一階に下りた。

沢部に案内された執務室は、今までのような豪奢さはなく、いたってシンプルなつくりだった。家具は重厚なデスクと革張りの応接セットがあるだけで、壁は作りつけの本棚と額装された写真が交互に並んでいる。

「こちらには喜市様の御写真と、当時の日常的な情景を撮影されたものが展示してあります」

コナンたちは壁の写真を順番に見ていった。

「ねぇ、夏美さん。ひいおばあさんの写真は？」

「それがね、一枚もないの。だから私、曾祖母の顔は知らないんだ」

「ふーん……」

コナンは妙だな、と思った。曾祖父である喜市の写真はたくさん残っているのに、曾祖母の写真は一枚も残っていないなんて——。

壁の写真を見ていた乾は、「おい！」と、そばにいたセルゲイに呼びかけた。

「この男、ラスプーチンじゃねーか？」

乾が指差した写真には、直立する喜市の前で椅子に腰かける男性が写っていた。丈長の前あき服を着た男性は、長い顎ひげを生やし、ぎょろりとした大きな目をしていて、頭上には〈Г. Распутин〉とサインが書かれている。

「ええ、彼に間違いありません。『ゲー・ラスプーチン』とサインもありますからね」

(ゲー・ラスプーチン……)

コナンがその写真を見つめていると、

「ねえ、お父さん。ラスプーチンって?」

蘭が小五郎にたずねた。青蘭が小五郎を振り返る。

「い、いや、俺も世紀の大悪党だったということくらいしか……」

小五郎の乏しい知識を見かねて、乾が代わりに答えた。

「奴はな、『怪僧ラスプーチン』と言われ、皇帝一家に取り入って、ロマノフ王朝滅亡の原因を作った男だ。一時、権勢をほしいままにしたが、最後は皇帝の親戚筋に当たるユスポフ侯爵に殺害されたんだ。川から発見された遺体は頭蓋骨が陥没し、片方の目がつぶれていたそうだぜ」

「え……」

ラスプーチンの惨たらしい最期を聞いて、蘭の顔に怯えた表情が浮かぶ。

(片方の目が……？)

コナンが驚いていると、白鳥が「乾さん」と呼びかけた。

「今はラスプーチンより、もう一つのエッグです」

「そうは言ってもなぁ……」

暖炉のそばで煙草の煙を吐いた小五郎は、煙の出た煙草を持ったまま言った。

「こんな広い家の中から、どーやって探しゃあいいんだ？」

コナンが何気なく小五郎を見ると、小五郎が持った煙草の煙がゆらゆらと立ち上るのに気づいた。小五郎の足元の床を見る。

「おじさん！　ちょっと貸して！」

コナンは小五郎から煙草を奪うと、床に近づけた。すると、煙がすぅーっと天井に上っていく。

「下から風が来ている。この下に秘密の地下室があるんだよ！」

「何ッ!?」

コナンが煙草を持ったままでいると、蘭が灰皿を持ってきた。コナンはタバコを灰皿に押しつけて、火を消す。

「とすると、からくり好きの喜市さんのことだから、きっとどこかにスイッチがあるはず……」

コナンは四つん這いになって、床を調べ始めた。すると、巾木に接した床板の端に小さな穴が開いていた。その穴に指を引っ掛けて持ち上げると、床板がパカッと外れ、その下から出てきたのは、ロシア語のアルファベットが印字されたたくさんのボタンスイッチだった。

「なんだ、そりゃ⁉」

「それで秘密の地下室へのドアが開くのか⁉」

乾たちは食い入るようにボタンスイッチを覗き込む。

「パスワードがあると思うよ。セルゲイさん、ロシア語で押してみて！」

「ああ……」

セルゲイはボタンスイッチの前で膝をついた。パスワードと言われて、小五郎はメモリーズ・エッグを頭に思い浮かべた。

「『思い出』……ボスポミナーニェに違いない！」

「ボ・ス・ポ・ミ・ナー・ニ・エ……」

セルゲイは〈ВОСПОМИНАНИЕ〉とボタンスイッチを押した。しかし何も起きない。

「あ、あれ？」

小五郎は恥ずかしそうに顔を赤らめる。

「じゃあ、キイチ・コーサカだ！」

乾が前のめりに言うと、

「キ・イ・チ・コー・サ・カ……」

セルゲイは〈КИИЧИ　КОСАКА〉とボタンスイッチを押した。蘭と小五郎が床をキョロキョロと見る。

「何も起きねェぞ……」

セルゲイは「夏美さん」と呼びかけた。

「何か伝え聞いている言葉はありませんか？」

「いいえ、何も……」

首を横に振る夏美のそばで、コナンは船で夏美が言っていた言葉を思い出した。

「バルシェ・ニクカッタベカ……」

「え？」

「夏美さんが言ってたあの言葉、ロシア語かもしれないよ！」

その場にいなかった小五郎が、キョトンとする。

「おい、なんの話だ？」

「しぃッ！　黙って」

コナンをじっと見ていた蘭は、小五郎を制すると、再びコナンに目を向けた。

「夏美さん、バルシェ……なんですか？」

セルゲイがたずねる。

「ニクカッタベカ……」

夏美が答えると、セルゲイはつぶやいた。

「バルシェ……ニクカッタベカ……？」

「もしかしたら、切るところが違うのかも」

コナンの言葉に、セルゲイは額に手を当てながら、夏美の言葉を切るところを変えながらつぶやいた。

「バル、シェニ、クカッタ……ベカ……。うーん、バルシェニ……」

すると、それまで黙って聞いていた青蘭が、突然口を開いた。

「それ、『ヴァルシェーブニック・カンツァー・ベカ』じゃないかしら？」

「え？」

コナンが驚いて振り返ると、セルゲイが「そうか！」と頭を上げた。

「『ВОЛШЕБНИК КОНЦА ВЕКА』だ！」

「それって、どういう意味!?」

コナンがたずねる。

「英語だと『The Last Wizard Of The Century』。えーと、日本語では……」

セルゲイが頭の中で訳していると、青蘭が先回りして言った。

「『世紀末の魔術師』」

「え⁉」

その言葉に、コナンは目を見張った。小五郎も「はて？」と顎に手を当てる。

「世紀末の魔術師？　どっかで聞いたような……」

「キッドの予告状よ！」

蘭が言うと、小五郎はハッとした。

「そうだ！　こりゃ、とんだ偶然だな」

コナンは、小五郎の言葉に違和感を覚えた。

(偶然……？　本当にそうなのか……？)

「とにかく、押してみましょう」

セルゲイはそう言うと、手元のボタンスイッチを押し始めた。

「ВОЛШЕБНИК　КОНЦА　ВЕКА……」

最後に『A』のボタンを押すと、突然、どこからかゴウン、ゴウン……と何かが動き出す音が聞こえてきた。

「な、なんだ⁉　この音――」

すると、コナンが立っていた床が突然動き出した。コナンは慌てて別の床に飛び移る。

ボタンスイッチがあったあたりの床がゴゴ……と音を立てて開き、土煙が舞う。1畳分ほどの床が開いて現れたのは、地下へ下りる石階段だった。

「こんなものが……⁉」

この城に長年仕えている沢部も初めて見るものだった。

「でかしたぞ、ボウズ‼」

乾に言われて、コナンはフッと笑みを浮かべた。

懐中電灯を持った白鳥を先頭に、一同はゆっくりと階段を下りていった。らせん状の階段は明かりがなく、小五郎はライターを、コナンは腕時計のライトで足元を照らしながら、歩いていく。

6

コナンたちが地下へと下りていっている頃。城に入れなかった子どもたちは、鍵が掛かってない扉がないか片っ端から調べていた。

「ダメです！　ここも鍵が掛かっていますよ！」

元太は「クソォ！」と頭を抱えた。

「グズグズしてたら、先に宝を見つけられちまうぞ！」

しかし、調べていない扉はもうなかった。子どもたちが途方に暮れていると、

「おーい！　哀君！　どこ行くんじゃ!?」

阿笠博士の呼びかける声が聞こえた。

「ちょっとあの塔を見てくるだけ」

灰原は城壁と崖の間にある階段を下りていく。子どもたちは灰原を追いかけて階段を下りた。

「灰原ーッ！　なんかあんのかよ、あそこに！」

「宝よ、きっと！」

「いいですねー！」

子どもたちは灰原を追い越し、階段の先にある監視塔に着いた。

「開くぞ！」

元太が扉を押して中に入ると、四方を壁に囲まれた空間で、壁の上部には窓があり、そこへ上る階段があるだけで、がらんとしていた。

「なんだよ灰原、なんもねーぞ！」

「何かあるなんて言ってないわよ」

塔の中に入った灰原が返すと、阿笠博士が「おーい！」と階段を駆け下りてきた。

「もうあきらめて帰った方が……」

一気に駆け下りてきた阿笠博士は、ゼーハーと肩で呼吸をしながら、監視塔の壁石に手をついた。すると、壁石の一つがボコッと押し出されて、子どもたちが立っていた床が開いた。

「何ッ!?」

「うわあ〜〜〜〜〜ッ!!」

床の下は大きな深い穴が開いていて、子どもたちは滑り落ちていった。滑り落ちた先はさらに崖のようになっていて、先頭を滑っていった元太は、落ちるすんでのところで崖の端をつかんだ。が、続いて落ちてきた歩美と光彦がぶつかって、三人もろとも落ちていく。

最初に落ちた元太のお腹の上に、歩美と光彦が続けて落ちた。

「痛ェな、お前ら……!」

「やわらかいお腹ですね」

「ケガしないで済んだわ、おかげで」

元太が体を起こそうとして手をつくと、何か細長いものに触れた。

「なんだ？　これ」

薄暗い中、元太が細長いものを手に取ると、

「ワッ！　ヘビッ!!」

歩美が叫んだ。とたんに「わぁぁぁッ!!」と子どもたちは逃げていく。

崖の手前で止まって足から着地した灰原は、腕時計のライトで地面を照らした。すると、元太が落ちたあたりに古そうな長い縄が落ちていた。

「蛇じゃないわ。縄梯子よ。かなり古いわね」

灰原はライトで落ちてきた上の方を照らした。

「元々上の方から付いていたのが切れたみたい」

「ちぇっ！　おどかしやがって」

蛇の正体がわかった元太が強気に出ると、灰原は子どもたちの背後をライトで照らした。

奥に進む通路がある。

「どうする？　ここで博士が助けに来てくれるのを待つ？　それとも先へ進む？」

通路を振り返った子どもたちは、顔を見合わせた。

「そりゃ……」

「もちろん……」

「レッツ・ゴォーッ!!」

と、三人そろって元気よく拳を突き上げる。

楽しそうな三人を見て、灰原はフッと微笑んだ。


コナンたちがらせん状の階段を下りていくと、やがて洞窟のような広い場所に出た。白鳥、小五郎、コナン、セルゲイ、乾がそれぞれ明かりを持ち、一同で進む。

セルゲイは、隣を歩く夏美に話しかけた。

「それにしても夏美さん、どうしてパスワードが『世紀末の魔術師』だったんでしょう？」

「多分、曾祖父がそう呼ばれていたんだと思います。曾祖父は1900年のパリ万博に16歳でからくり人形を出品し、そのままロシアに渡ったと聞いています」

「なるほど」話を聞いていた小五郎があいづちを打った。

「1900年といやあ、まさに世紀末ですなァ」

コナンは険しい表情で夏美たちの会話を聞いていた。

通路は右に曲がり、さらに奥に続いていた。

「ほぉ……まだ先があるのか。ずいぶん深いんだなァ」

小五郎がライターで照らしながらつぶやいたとき、縦穴の奥からカラカラ……と音がした。コナンが立ち止まる。

「どうしたの？」

隣を歩いていた蘭がたずねる。

「今、かすかに物音が……」

「スコーピオンか⁉」

小五郎が縦穴にライターを向けたとたん、

「ボク、見て来る！」

コナンが走り出した。

「コナン君！」

蘭が追いかけようとすると、白鳥が制した。

「私が行きます。毛利さんは、皆さんとここにいてください」

「わかった！」

白鳥は懐中電灯で照らしながら、縦穴に入っていった。蘭が心配そうに白鳥の後ろ姿を見送る。すると、一番後ろにいた乾の背後で、人の動く気配がした。振り返ると、誰かが今来た通路を戻っていく。

不思議に思った乾は、皆から外れて後を追いかけていった。

通路を戻った人物は、駆け足で階段を上がった。さらに通路を走り、左に曲がる。そして石壁の隙間に隠しておいた拳銃を取り、サイレンサーを取り付ける。

そこに後を追ってきた乾がやってきて、懐中電灯で照らした。

「ア、アンタ……！」

光の先にいた人物を見て、乾は目を丸くした。その瞬間、人物が持っていた拳銃が火を噴いた。

阿笠博士の救助を待たずに先へ進むことにした灰原と子どもたちは、灰原の腕時計のライトを頼りに、真っ暗な狭い通路を進んでいった。しばらくして通路は突き当たりになり、右に曲がる通路が続いていた。

灰原たちが右に曲がると——いきなりまぶしい光に照らされた。

「ああッ！　お前ら!!」

光の正体は、コナンの腕時計のライトだった。コナンと白鳥が入っていった縦穴は、子どもたちが歩いてきた通路と繋がっていたのだ。

「……ったく」

コナンはため息をもらすと同時に、やっぱりコイツらが大人しく外で待っているわけないよな、と思った。

子どもたちと合流したコナンは、もと来た道を引き返し、縦穴の前で待っていた小五郎たちのところへ戻った。再び白鳥を先頭にして、通路を進む。

「この世であなたの〜〜〜♪」

白鳥の後ろにいた子どもたちは、大声で歌いながら歩いていった。その後ろを、小五郎と夏美が並んで歩く。

「どーいうつもりなんだ、コイツら……」

「いいじゃないですか、毛利さん。大勢の方が楽しくて」

しばらく進むと、通路は右に曲がっていた。ライトを照らした白鳥が右に曲がり、子どもたちも後に続く。

すると、そこで通路は行き止まりになっていた。

「あれ？」

「行き止まり……」

「通路をどこかで間違えたのかしら？」

夏美が言うと、先頭の白鳥が「そんなはずはありません」と振り返った。

「通路は一本道でしたから……」

（ってことは、ここにも何か仕掛けが……？）

コナンは白鳥がライトで照らす突き当たりの壁を見た。よく見ると、突き当たりの壁にたくさんの鳥が描かれている。

「わぁ！　鳥がいっぱい！」

「あれ？　変ですね。大きな鳥だけ頭が二つありますよ！」

光彦が言うとおり、中央の大きな鷲は頭が二つあり、その頭上には王冠が載っていた。さらに鷲の後ろには、大きく輝く太陽が描かれている。

「双頭の鷲……皇帝の紋章ね」

灰原が言うと、コナンは「ああ」とうなずいた。

「王冠の後ろにあるのは、太陽か……」

突き当たりの壁に描かれた、皇帝の紋章。仕掛けがあるとしたらこれに違いない、とコナンは思った。そして、皇帝の紋章である双頭の鷲の後ろに描かれた太陽。

太陽と言えば、連想するのは光。もしかしたら——。

「白鳥さん！」

ひらめいたコナンは、双頭の鷲を指差した。

「あの双頭の鷲の王冠に、ライトの光を細くして当ててみて！」

「あ、ああ」

白鳥はとまどいながらも、懐中電灯のダイヤルを回して光を細めた。そしてその光を、壁画の双頭の鷲の王冠に当てる。すると、王冠の宝石の部分が光り出した。

「あっ!?」

「光ったぞ!!」

そのとき、ゴゴゴ……と地響きがして地面が揺れた。突き当たりの壁の前にいたコナンの足元一帯の石床が、沈んでいく。

「みんな下がって！」

白鳥は壁に光を当てながら、子どもたちを制した。コナンを載せた石床は、ゴゴゴと音を立てながらどんどん沈んでいき、やがて沈んだ石床の前に入り口が現れた。

「なるほど……」

入り口を見つけた白鳥は、突き当たりの壁で光っている王冠を見つめた。

「この王冠には、光度計が組み込まれているってわけか……」

光度計が組み込まれた王冠に光を当てることによって、床が沈んで秘密の入り口が出現したのだ。

さらに白鳥が立っている石床も動き出した。ゴゴゴと左右に開いて、コナンを載せた床へと続く階段が現れた。

「スッゲー！」

「な、なんて仕掛けだ……」

子どもたちや小五郎は、壮大な仕掛けにただただ驚く。

一同は白鳥を先頭に、階段を下りて、入り口を入っていった。

7

秘密の入り口の先には、円形の空間が広がっていた。正面に聖母マリア像と二体の天使像がある部屋は、高い天井もドーム状になっていて、

「まるで卵の中みたい……」

と歩美がつぶやく。

(なんだ、これ……?)

コナンは部屋の中央にある円柱の台に触れた。コナンの胸ほどの高さがあるその台は、真ん中に小さな穴が開いている。

部屋の正面には三体の彫像に続く短い階段があり、その下は水が流れていた。

小五郎は階段の両側に置かれたロウソクにライターで火をつけた。ぼんやりと周囲が明

るくなる。

白鳥が階段を上がると、聖母マリア像の前に背の高い十字架が建っていて、その前に大きな木の箱が置かれていた。

「棺のようですね」

「つくりは西洋風だが、桐で作られている」

棺に近づいた小五郎は、棺に掛けられた錠に触れた。

「それにしてもでっかい錠だな……」

「あっ！」

棺の大きな錠を見て、コナンは夏美が持っていた古い鍵を思い出した。

「夏美さん！　あの鍵！」

「え……あ、そっか！」

コナンに言われて気づいた夏美は、バッグから古い鍵を取り出すと、階段を上って棺の前に立った。そして古い鍵を大きな錠に差し込む。ガチャッと鈍い音がして、錠が外れた。

「この鍵だったのね……」

夏美は感慨深げにつぶやき、鍵を抜いた。

（……ってことは、この棺の中に……）

コナンが考えていると、小五郎が夏美に声をかけた。

「開けてもよろしいですか？」

「は、はい」

小五郎は棺の蓋に手をかけ、ふんっ！　と持ち上げた。

「結構重いぞ……」

ギギギと軋む音を立てながら、棺の蓋はようやく開いて、蓋を繋ぐヒンジがカチッと止まる。

棺の中には——胸のところで手を組んだ遺骨が横たわっていた。組んだ手のすぐそばには赤いエッグが置かれている。まるで遺骨がエッグを抱いて眠っているようだ。

「夏美さん。この遺骨はひいおじいさんの……？」

小五郎の問いに、夏美は「いえ」と首を横に振った。

「多分、曾祖母のものだと思います。横須賀に曾祖父の墓だけあって、ずっと不思議に思

 っていたんです。もしかすると、ロシア人だったために、先祖代々の墓には葬れなかったのかもしれません……」

夏美がしみじみ話していると、セルゲイと青蘭が階段を上ってきた。

「夏美さん。こんなときにとは思いますが、エッグを見せていただけないでしょうか？」

「……はい」

夏美は棺の中に手を伸ばし、遺骨の上に置かれたエッグを手に取った。「どうぞ」とセルゲイに手渡す。

「……底には小さな穴が開いていますね」

エッグを持ち上げて底を覗いたセルゲイは、エッグの蓋を開けた。

「え……空っぽ!?」

エッグの中は空だった。

「そんなバカな……！」

「どういうことかしら？」

エッグの中を覗いた青蘭も、首をかしげる。

「……空？」

階段の下にいたコナンが驚いていると、

「それ、マトリョーシカなの？」

隣の歩美が訊いた。

「え!?」

「マトリョーシカ!?」

セルゲイと青蘭が驚いて振り返る。歩美は空のエッグを指差した。

「わたしんちに、そのお人形あるよ。お父さんのお友だちが、ロシアからお土産に買ってきてくれたの」

「なんだ？ そのマト……リョーシカって？」

小五郎が青蘭とセルゲイにたずねる。

「人形の中に小さな人形が次々に入っている、ロシアの民芸品です」

「……確かにそうかもしれません。見てください」

セルゲイはそう言うと、エッグの中を小五郎たちに向けた。

「中の溝は、入れたエッグを動かないように固定するためのもののようです」

エッグの底には小さな穴と、放射状に溝があった。さらに棺に入っていた赤いエッグは、メモリーズ・エッグより一回りほど大きいのだ。

小五郎は「クソッ！」と拳を手のひらに打ちつけた。

「あのエッグがありゃ、確かめられるんだが……」

「エッグなら、ありますよ」

白鳥の言葉に、一同が「え⁉」と驚いた。白鳥は肩から下げていたバッグから、メモリーズ・エッグを取り出した。

「こんなこともあろうかと、鈴木会長から借りてきたんです」

「お前、黙って借りてきたんじゃないだろうな⁉」

小五郎が怖い顔で迫ると、白鳥は「や、やだなあ」とたじろいだ。

「そんなはずないじゃありませんか」

「さっそく試してみましょう」

棺に入っていたエッグを持っていたセルゲイは、白鳥に手を差し出した。そして受け取ったメモリーズ・エッグを、赤いエッグの中に入れる。メモリーズエッグの華奢な台座が、赤いエッグの溝にカチリとはまった。

「ピッタリだ！」

感心する小五郎のそばで、セルゲイは赤いエッグの蓋を閉じた。

「つまり、喜市さんは二個のエッグを別々に作ったんじゃなく、二個で一個のエッグを作ったんですね……」

(確かにそのとおりだが……)

コナンは険しい表情でエッグを見つめていた。すると、

「……不満そうね？」

隣の灰原が声を落として訊いてきた。コナンは「ああ」と小さくうなずく。

「あのエッグには、何かもっと仕掛けがあるような気がしてならねえ。それこそ『世紀末の魔術師』の名にふさわしい仕掛けが……」

コナンが考えていると、小五郎はセルゲイの手の中にある赤いエッグをまじまじと見つめた。外側に施された美しい装飾に加え、こちらのエッグの蓋には、きらきらと輝く大き

な宝石らしきものがいくつも付いている。

「それにしても、見事なダイヤですなあ」

小五郎が思わずつぶやくと、

「いえ、ダイヤじゃないみたいですよ」

夏美が否定した。

「は？」

「ただのガラスじゃないかしら、これ……」

（ガラス……!?）

意外な事実に、コナンも驚いた。と同時に、メモリーズ・エッグの蓋の裏に付いている のもガラスだったことを思い出した。

皇帝から皇后への贈り物だというのに、どちらのエッグにも宝石ではなくガラスが付い ている——。

さらにコナンは、喜市の部屋に飾られていたたくさんの写真を思い出した。そして、喜 市が仕掛けた、双頭の鷲の王冠に光を当てると秘密の入り口が現れるからくりも。

(光と仕掛け……)

ハッと何かに気づいたコナンは、部屋の中央にある台を振り返った。

(間違いない。エッグのガラスは、レンズの役割をするためのものだ!)

確信したコナンは、階段を駆け上がり、セルゲイに近づいた。

「セルゲイさん! そのエッグ貸して!!」

「またコイツは!」

小五郎がコナンをつまみ出そうとすると、白鳥が「まあ待ってください、毛利さん」と小五郎の肩を押さえた。そして、

「何か手伝うことは?」

「ライトの用意を!」

エッグを持って階段を下りるコナンの後を追った。

「ライトの光を細くして、台の中に!」

「わかった!」

白鳥は持っていた懐中電灯のダイヤルを回して光を細めると、台の中央にある穴の中に

上向きにして入れた。懐中電灯の細い光が、天井に向かってまっすぐ伸びる。

「セルゲイさん！　青蘭さん！　ロウソクの火を消して！」

コナンに言われて、セルゲイと青蘭は階段の脇に置かれたロウソクの火を消した。

「一体、何をやろうってんだ？」

小五郎をはじめ、皆が中央の台に集まってくると、

「まあ、見てて」

コナンは持っていた赤いエッグを、台の穴の上に置いた。すると、エッグの底に開けられた穴からライトの光が差し込み、エッグ自体が輝き出した。

「エッグの中が透けてきた……」

蘭が言うとおり、ライトの光によって二つのエッグの薄い殻が透け出して、メモリーズ・エッグの中にある皇帝一家の人形が浮かび上がる。さらに、その皇帝一家の人形がせり上がってきた。

「ネジも巻かないのに、皇帝一家の人形がせり上がっている……！」

セルゲイが驚くと、

「エッグの内部に、光度計が組み込まれているんですよ」

白鳥が答えた。双頭の鷲の王冠と同じからくりが仕掛けられているのだ。

やがて、皇帝が持つ本がパラパラと開き出した。すると、下から当てられたライトの光がメモリーズ・エッグの底に付いていた鏡に反射した。拡散した光が蓋の裏に付いた複数のガラスを通して皇帝の本に集中したかと思うと、光の束がメモリーズ・エッグの上面を突き抜け、赤いエッグの先端に付いた大きなガラスから放射状に放たれた。

「な、なんだあ⁉」

「こ、これは⁉」

「うわ〰〰ッ！」

天井を見上げた一同は驚いた。放射状に放たれた光の先にある壁に、たくさんの写真が映し出されていたのだ。

「ニ、ニコライ皇帝一家の写真です……！」

写真には皇帝や皇后、そして五人の子どもたちの姿があった。皇帝一家全員の写真もあれば、赤子を抱く皇帝、編み物をする母に寄りそう娘たち、美しく成長した娘たちなど、実に様々な写真が映し出されている。

「そうか……」写真を見ていた小五郎はつぶやいた。

「エッグの中の人形が見ていたのは、ただの本じゃなくアルバム……」

「だから、『メモリーズ・エッグ』だったってワケか……」

コナンもエッグに付けられた名前の本当の由来を知った。

ロシア人のセルゲイは、感慨深い思いで写真を見つめていた。

「もし、皇帝一家が殺害されずにこのエッグを手にしていたら、これほど素晴らしいプレゼントはなかったでしょう……」

小五郎は写真を見上げながら、夏美に言った。

「まさに『世紀末の魔術師』だったんですな、あなたのひいおじいさんは」

「それを聞いて、曾祖父も喜んでいることと思います」

嬉しそうに微笑む夏美に、コナンは「ねえ、夏美さん」と呼びかけた。

「あの写真、夏美さんのひいおじいさんじゃない？」

「え？」

「あの二人で椅子に腰かけて、写っている写真」

コナンは一つの写真を指差した。喜市らしき男性が、ロシア人の女性と寄り添うように長椅子に腰かけている。

「ホントだわ！　じゃあ一緒に写っているのは、曾祖母ね！」

夏美は初めて見る曾祖母の顔を、しみじみと見つめた。

「あれが、ひいおばあさま……やっとお顔が見られた……」

「あの写真だけ、日本で撮られたのですね。後から喜市様が加えられたのでしょう」

言い添える沢部のそばで、コナンも夏美の曾祖母の写真を見つめた。

（あれ？　この人……）

コナンは後ろを振り返り、ニコライ皇帝の四人の娘の写真を見た。その中の一人が、夏美の曾祖母とよく似ているのだ。さらに――。

（似てる……夏美さんと……）

やがて放射状に放たれた光は徐々に弱まり、エッグの中に吸い込まれるように消えたかと思うと、エッグも光を失い、皇帝一家の人形も見えなくなった。

セルゲイは台からエッグをそっと取ると、夏美の方を向いた。

「このエッグは喜市さんの……いえ、日本の偉大な遺産のようだ。ロシアはこの所有権を、中のエッグ共々放棄します。あなたが持ってこそ、価値があるようです」

「ありがとうございます」

エッグを受け取った夏美は、「あ」と声をもらした。

「でも、中のエッグは鈴木会長の……」

ロシアが所有権を放棄したとはいえ、メモリーズ・エッグは鈴木財閥の蔵で見つかったものだ。

「鈴木会長には私から話してあげましょう。きっとわかってくれますよ」

小五郎が言うと、夏美は安堵したような表情を見せた。

コナンは台から懐中電灯を取り出し、ダイヤルを回して光を広げた。部屋の中をあらためて照らして、メンバーが一人見当たらないことに気づく。

（あれ？　そういえば乾さんはどこに行ったんだ……？）

いつの間にいなくなったんだろう——コナンが部屋の中を懐中電灯で照らしながら、灰

原の後ろを通り過ぎようとすると、

「ラスプーチンの写真……」

「え？」

灰原はコナンを振り返った。

「出てこなかったわね。皇帝一家と親しかったのに」

「ああ。確か、喜市さんの部屋にも……」

執務室に飾ってあったラスプーチンとの写真。そこに書かれたラスプーチンのサイン〈Г. Распутин〉を思い出したコナンは、ハッとした。

（あのГって、まさか……!!）

コナンは恐ろしい事実を見逃していたことに気づいた。そのとき、

「何はともあれ、これでめでたし、めでたしだ！」

小五郎が腰に手を当てて言った。するとその胸に、レーザーサイトの小さな赤い点が浮かび上がった。その点は徐々に小五郎の首、顔と上っていき、右目で止まる。

スコーピオンだ。スコーピオンが小五郎の右目を狙っている――!!

「危ないッ!!」

コナンは懐中電灯を小五郎に向かって投げた。

「わあッ!!」

小五郎が懐中電灯をとっさによけると同時に、パシュッと乾いた音がした。サイレンサー付きの銃を発砲した音だ。銃弾は小五郎をかすめて、石壁に当たる。

懐中電灯をよけた小五郎は、そのまま床に倒れた。

「何しやがる！　コナン!!」

すると、蘭が床に転がった懐中電灯を拾おうと手を伸ばす。

「拾うな！　蘭!!」

「え？」

振り返った蘭の首筋に、赤い点が浮かび上がる。コナンは飛び出した。

「らあぁぁぁーんッ!!」

叫びながら、蘭に向かう。

その声と姿が、蘭には新一と重なって見えた。

蘭の右目に、レーザーサイトの赤い点が浮かび上がる。

パシュッ。銃の乾いた音がすると同時に、コナンは蘭の体に飛び込んだ。放たれた銃弾が押し倒される蘭の頭をかすめて、石壁を弾く。

「みんな！　伏せろッ!!」

コナンの声に、子どもたちは、うわ〜ッ!!　と一斉に駆け出した。夏美も駆け出すが、石畳の小さな溝につまずいて転び、持っていたエッグを落とした。

すると、誰かが床に転がったエッグを拾って走っていった。

「あ！　エッグが……!!」

「クソッ！　逃がすかよ!!」

コナンは腕時計のライトを点けて、走り出した。床に倒れた蘭が「ダメッ！」と叫んだが、コナンは振り返ることなく部屋を出ていく。

「毛利さん、あとを頼みます！」

白鳥も懐中電灯を持って走っていった。

部屋に残された蘭は、呆然と床に座り込んでいた。

――拾うな！　蘭!!

――らぁぁぁんッ!!

コナンの声が、頭の中でリフレインする。

さっき、コナンは『蘭姉ちゃん』ではなく『蘭』と呼んだ。まるで、新一みたいに。

（……新一……）

蘭の心の中で、コナンへの疑念がさらに膨らんでいった。


コナンはエッグを持ち去った犯人を追いかけて、通路を戻っていった。暗闇の中、前の地面をライトで照らしながら走っていく。

通路を左に曲がると、突然、目の前で左の岩壁が爆発した。犯人が置いた手榴弾が爆発したのだ。

「くッ!!」

コナンは雪崩のように崩れ落ちてくる岩をよけて、走った。階段を上がって、通路を左に曲がる。

すると目の前に何かが横たわっていて、

「わあッ!!」

コナンは足を引っかけて転んだ。

(なんだ!?)

コナンは倒れながら、足が引っかかったものをライトで照らした。

「……乾さん!!」

コナンが足を引っかけたのは、地面に倒れていた乾だった。右目を撃ち抜かれ、血を流して死んでいる——。

「クソッ!!」

コナンはすぐに起き上がって走った。

らせん状の階段を駆け上がり、地下と一階とを結ぶ執務室へ向かう。すると、上の方でゴゴゴ……と床が動く音が聞こえてきた。

コナンが階段を上り切ると、執務室の床は閉じてしまっていた。執務室に上がった犯人が、ボタンスイッチを操作して床を閉じてしまったのだ。

「しまった！」

コナンは閉じられた床を照らした。動かないかと押してみたが、ビクともしない。

（きっと、どこかに中から開けるスイッチがあるはずだ……！）

コナンは周りをライトで照らしながら、階段を戻っていった。すると、階段を少し下りた踊り場の壁に、一か所だけ石の形が違うところがあった。

コナンはその石を押してみた。すると、カチッと石が壁の中へ押し込まれて、執務室の床が開き出した。

8

執務室の床から一階に上がった犯人は、城じゅうの床にガソリンを撒き始めた。一階の『騎士の間』の前まで撒いたところでガソリンがなくなり、犯人は空になったタンクを投げ捨てた。そして『騎士の間』に入り、マッチを擦って、ガソリンに投げ入れる。

マッチの火が引火したガソリンによる炎は、一瞬にして廊下を駆け巡り、城は炎の海となった。犯人は『騎士の間』の奥へと走る。すると、

「ちょっと待ったあ!!」

炎が燃えさかる扉の方から、小五郎の声がした。

「テメェだけ逃げようたって、そうは問屋が卸さねーぜ!!」

犯人は甲冑が並ぶ棚の陰に隠れ、拳銃を取り出した。そして棚の反対側へ飛び出すと、

「アンタの正体はわかっている」

今度は白鳥の声がした。

「中国人のふりをしているが、実はロシア人だ。そうだろ？」

犯人は棚の陰から、入り口の方を覗いた。しかし、小五郎の姿も白鳥の姿もない――。

白鳥の声は、冷静な口調で言った。

「怪僧ラスプーチンの末裔……青蘭さん」

正体を明かされた犯人は、ゆっくりと棚の陰から出てきた。拳銃を持った犯人――青蘭は、不敵な笑みを浮かべていた。


棺が置かれた部屋を出た小五郎たちは、歩いてきた通路を引き返した。すると途中で、崩れた岩壁が通路を完全に塞いでしまっていた。

「な、なんだこりゃ！　道が塞がれている!!」

小五郎が積まれた岩を動かそうとしたが、ガッチリ重なってビクともしない。

「えー!?　それじゃあオレたち出られないのか!?」

元太が不安そうな声を出すと、

「みんな、私についてきて！」

一番後ろにいた灰原が言った。

「何ィ⁉」

小五郎が怪訝そうに振り返る。

「いいからついてきなさいって言ってるのよ！」

子どもらしからぬ灰原のすごみに、小五郎は思わず「は、はい」と返事した。


棚の陰から出てきた青蘭は、周囲を警戒しながら、足を進めた。いつの間にか『騎士の間』にも火の手が及び、部屋のあちこちで炎が赤々と燃え上がる。

青蘭が後ろを振り返ったとたん、背後でタタタ、と駆け出す音がした。即座に前を向き、銃を二発撃つ。しかし、それより早く相手は棚の陰に隠れてしまった。

「フン！　最初は気づかなかったよ」

棚の陰から聞こえてきた声に、青蘭は目を見張った。

「その声は寒川⁉」

「浦思青蘭の中国名、プース・チンランを並べ替えると、ラスプーチンになるなんてことはなァ！」

「オ、オマエは……オマエは私が殺したはず！」

青蘭は動揺していた。そこに背後で甲冑が倒れてきて、青蘭はすかさず二発撃った。棚に駆け寄り、奥に拳銃を向ける。するとまた、タタタ、と駆け出す音がした。

青蘭はすかさず振り返って撃った。が、またもや相手は棚の陰に隠れてしまい、今度は白鳥の声が聞こえてきた。

「ロマノフ王朝の財宝は、本来、皇帝一家と繋がりの深いラスプーチンのものになるはずだった――そう考えたアンタは、先祖になり代わり、財宝の全てを手に入れようと考えたんだ……」

青蘭は、甲冑が置かれた棚を一つ一つ調べながら、相手が隠れている棚へと近づいた。

すると、

「執拗に右目を狙うのも、惨殺された祖先の無念を晴らすためだろう？」

「い、乾……！」

殺したはずの乾の声がして、青蘭はますます混乱した。寒川も乾も右目を撃ち抜いて殺したはずなのに、なぜここに――!?

すると、棚の陰に隠れていた相手がスッと出てきて、その姿を現した。

とっさに銃口を向けた青蘭は、その姿を見て驚いた。出てきたのは小五郎でも白鳥でもなく、ましてや死んだはずの寒川や乾でもない、小さな少年のコナンだったのだ。

小五郎や白鳥はどこに――青蘭はキョロキョロと周囲を見回した。

「ボク一人だよ」

「何ッ!?」

コナンは首元に着けた蝶ネクタイを軽く引っ張った。

「これ、蝶ネクタイ型変声機って言ってね。いろいろな人の声が出せるんだ」

青蘭は目を疑った。こんな小さな少年が、他人の声色を使って完璧な推理で追いつめてくるとは。それだけじゃない。この少年は今までも船上やこの城で、あらゆる謎を解いてきた――。

「オ、オマエ……一体……」

青蘭が思わずたずねると、

「江戸川コナン、探偵さ」

コナンはニヤリと不敵な笑みを浮かべた。

燃えさかる炎がじわじわと広がる中、青蘭と対峙したコナンは、推理の続きを話し始めた。

「寒川さんを殺害したのは、アンタの正体がバレそうになったからだ。寒川さんは、人の部屋を訪問してはビデオカメラで撮っていたからね」

コナンは話しながら、青蘭の部屋にあった写真立てを思い浮かべた。園子が「彼の写真？」と聞いたら、すぐに裏返されてしまった写真。

「寒川さんが訪問したときは、とっさのことで裏返すのを忘れてしまった写真……それは恋人なんかじゃなく、グリゴリー・ラスプーチンの写真だったんだ！」

黙って聞いていた青蘭が、ピクリと眉を動かす。

コナンは、写真立ての裏に書かれた〈Grigorii〉の文字を思い浮かべた。

「グリゴリーの英語の頭文字は『G』だが、ロシア語では『Г』だ。だから、喜市さんの部屋にあった〈Г. Распутин〉のサインを見ても、すぐには繋がらなかった。寒川さんにラスプーチンの写真をビデオに撮られたと思ったアンタは、彼を殺害しに行った……そうだろ？　青蘭さん。いや、スコーピオン！」

コナンがその名を呼ぶと、青蘭――スコーピオンはフッと笑った。

「よくわかったねえ、坊や」

「乾さんを殺したのは、その銃にサイレンサーを付けているところでも見られたってとこかな？」

コナンがスコーピオンの銃を見て言うと、スコーピオンは目を細めた。

「おやおや、まるで見ていたようじゃないか……」

「でも、おっちゃんを狙ったのは、ラスプーチンの悪口を言ったからだ！」

コナンは、執務室で小五郎が言った言葉を思い浮かべた。

――ねえ、お父さん。ラスプーチンって？

――い、いや、俺も世紀の大悪党だったということくらいしか……。

その何気ない一言で、スコーピオンは小五郎を殺そうとしたのだ。

「そして、蘭の命までも狙った……!!」

いつの間にか炎は二人の背後にまで迫り、怒りに満ちたコナンの顔を照らす。スコーピオンは、コナンに銃口を向けた。

「おしゃべりはそのくらいにしな。かわいそうだけど、アンタにも死んでもらうよ！」

コナンは冷静な目つきで、スコーピオンの拳銃を見た。

「その銃、ワルサーＰＰＫ／Ｓだね。マガジンに込められる弾の数は、八発。乾さんとおっちゃん、蘭に一発ずつ。今ここで五発撃ったから、弾はもう残ってないよ」

スコーピオンはコナンに銃を向けたまま、フッと不敵な笑みを浮かべた。

「いいこと教えてあげる。あらかじめ銃に弾を装填した状態で、八発入りのマガジンをセットすると、九発になるのよ。つまり、この銃はもう一発、弾が残っているってこと！」

そのとき、燃えた棚がコナンのそばに倒れてきた。スコーピオンの背後でも、次々と棚が崩れ落ちる。

「じゃあ、撃てよ」

コナンが静かに言った。

「本当に弾が残ってんのならな」

対峙する二人を囲む炎の勢いが、いっそう強くなった。二人の間に、燃えた棚がガラガラと音を立てて崩れ落ちる。

スコーピオンは、レーザーサイトでコナンの右目を狙った。

「……バカな坊や」

ワルサーPPK／Sが乾いた音と共に銃弾を吐き出した。銃弾がコナンの右目のメガネレンズに直撃する。が、銃弾はキィンと弾かれた。

「ど、どうして!?」

コナンはすばやくキック力増強シューズのダイヤルを回した。シューズの電気と磁力が高まりスパークする。

スコーピオンも空のマガジンを抜いて新しいマガジンを装填すると、スライドを引いた。

コナンが駆け出すと同時に、スコーピオンが銃口を向ける。

スコーピオンが引き金を引こうとしたそのとき、どこからかトランプが飛んできて、ワルサーPPK／Sを弾いた。

その隙に、コナンは落ちていた兜を蹴った。

「あぁぁぁ――ッ!!」

兜がスコーピオンの腹に直撃して、後ろに倒れる。コナンは気絶したスコーピオンに近づきながら、メガネを外した。

「あいにくだったな、スコーピオン。このメガネは博士に頼んで、特別製の硬質ガラスに替えてあったんだ」

するとそこに、白鳥が走ってやってきた。

「コナン君！　大丈夫かい!?」

「あ、ああ、まあ」

コナンは慌ててメガネをかけて答えた。ふと床を見ると、トランプが燃えていた。すぐに燃え尽きて形を失う。

「さあ、ここから脱出するんだ！」

白鳥は気を失ったスコーピオンを抱えて、入り口に向かった。

「コナン君！」

床をじっと見つめて動こうとしないコナンに、声をかける。

そのとき、そばで天井が焼け落ちた。コナンの目の前にも焼けた柱が倒れてきて、とっさによける。激しい炎が陳列された甲冑を取り囲み、真っ赤になった甲冑が焼けた棚と共に次々と倒れてくる。

あたり一面が火の海と化して、荒れ狂う炎がコナンたちに襲いかかってきた——。


執務室から来た通路はスコーピオンの手榴弾が爆発して塞がれてしまったが、灰原や子どもたちが来た監視塔からの通路は無事だった。灰原は先頭になって、小五郎たちと共に歩いていく。すると、古い縄梯子が落ちていた場所に、新しい縄梯子が掛けられていた。阿笠博士が車で走り、持ってきてくれたのだ。

「ふー、助かった……」

縄梯子を登って監視塔に出てきた小五郎は、床に腰を下ろした。最後に登ってきたセルゲイが持っていたアタッシェケースを床に置く。

すると、監視塔から城を見た光彦が「た、大変です！」と叫んだ。

「お城が燃えています!!」

「えッ!?」

一同は監視塔から出て、階段を駆け上がった。

中庭に出ると——城は激しい炎に包まれていた。轟々と燃えさかる炎と黒煙が窓から噴き出し、重いものが崩れ落ちる音が聞こえる。

「コナン君……！」

愕然とする子どもたちのそばで、蘭も赤々とした炎に焼かれる城を呆然と見つめる。

（……新一……）

蘭の前に立っていた灰原は、炎に包まれた城を見て、「バカ……」と小さくつぶやいた。

「コナンくーーん!!」

「コナーーン!!」

子どもたちは悲痛な顔をして、燃えさかる城に向かって叫んだ。すると、

「あんだよ、うるせーな！」

背後からコナンの声がした。

皆が驚いて振り返ると――ビートルの前に、全身煤だらけで服のあちこちが焼け焦げたコナンが立っていた。その手には、赤いエッグが握られている。

「このエッグ、白鳥刑事がスコーピオンから取り返してくれたよ」

「白鳥が!?」

小五郎が驚く。

「で、スコーピオンはどうした？」

「逮捕して、車で連行していったよ。スコーピオンの青蘭さんを」

コナンがあっさり言うと、小五郎とセルゲイは目を丸くした。

「何――ッ!?」

「青蘭さんがスコーピオン!?」

コナンは、皆と同様に驚いている夏美に歩み寄り、エッグを差し出した。

「はい、これ。夏美さんに渡してくれって」

「ありがとう……」

夏美はエッグを受け取ると、大事そうに抱えた。

そのそばで、小五郎はハァ……と息をつき、肩を落とした。

「あの美しい足の青蘭さんが、スコーピオンだったなんて……」

青蘭に命を狙われたのをすっかり忘れて、ショックを受けている。

遠くでサイレンの音がした。門の方を見ると、何台もの消防車が山道を上ってくるのが見える。

小五郎は、燃えさかる城をぼんやりと見つめている夏美に声をかけた。

「夏美さん、申し訳ありませんな。こんなことになってしまって……」

「いいえ」

夏美は首を横に振った。

「お城は燃えましたけど、私には曾祖父が作った大事なエッグが残っています。それに、地下室は無事だと思いますし……」

隣の沢部が「はい」とうなずく。

「落ち着きましたら、曾祖母様のご遺骨を、喜市様と一緒のお墓に埋葬いたしましょう」

「それにしても……」

夏美の言葉に救われた小五郎は、あらためて燃えている城を見つめた。

「とうとう現れなかったか、キッドの奴……」

「やっぱり死んじゃったのかなあ」

歩美が悲しそうにつぶやくと、

「いや、奴は生きてたよ」

コナンがどこか晴れ晴れとした表情で言った。

驚いている歩美の背後で、蘭はコナンを見つめる。

消防車が到着するまでの間、一同はめらめらと燃え続ける城を眺めていた。

9

その夜。コナンたちが自宅に戻った頃には、雨が降り出していた。

蘭は二階の事務所にいた。窓際で小五郎の椅子に座り、抱いている白い鳩を優しく撫でていた。鳩は包帯も取れてすっかり元気になり、もういつでも飛べそうだった。

三階の住居から下りてきたコナンが、ドアを開けて入ってきた。

「おじさん、もう寝ちゃったよ。疲れたみたいだね」

「うん、仕方ないよ。大変だったもの……」

蘭は鳩をデスクの上のカゴに戻すと、開いた窓に手をつき、降り続く雨を見上げた。さっきから蘭は、コナンの方を見ようとしない。

「蘭姉ちゃん……？」

不思議に思ったコナンが声をかけると、蘭は背を向けたまま言った。

「……ありがとう。お城で助けてくれて。あのときのコナン君、カッコよかったよ。まるで新一みたいで！」

そう言って振り返った蘭は、笑みを浮かべていた。

「ホントに、新一みたいで……」

笑顔を作ろうとする大きな瞳から、ポロッと涙がこぼれた。涙は次から次へと頬を伝ってこぼれ落ちていく。

（蘭……）

「でも、別人なんでしょ？」

蘭は自分に言い聞かせるように、たずねた。

目の前のこんな小さな男の子が新一だなんて、ありえない。でも、コナンを見ていると、ときどき新一に思えてしまうときがある。

子どもとは思えない行動力や推理力。何より推理しているときのコナンの鋭い目は、新一そのものだ。

そして、城の地下室でコナンは『蘭』と叫んだ。『蘭姉ちゃん』ではなく、新一が呼ぶように『蘭』と——。

「そうなんだよね？　コナン君……」

涙をこぼしながらたずねる蘭に、コナンはとまどった。

どう答えればいいんだろう。この場をうまく取り繕ったとしても、蘭の疑念は晴れることはないだろう。工藤新一が目の前に現れでもしない限り——。

（……限界だな）

コナンは拳をギュッと握った。

「……あ、あのさ。蘭」

再びコナンに『蘭』と呼ばれて、蘭がハッとする。

コナンはメガネを外して、素顔をさらけ出した。

「実はオレ、本当は……」

「……新一……」

コナンが顔を上げると、蘭はコナンの後ろを見ていた。

「えっ⁉」

驚いて振り返ると——開いたドアの前に、制服姿の工藤新一が立っていた。驚いた蘭が、慌てて涙を拭く。

「……ホントに新一なの？」

「あんだよ、その言い草は。オメーが事件に巻き込まれたって言うから、様子を見に来てやったのによ」

面倒くさそうに答える声もしぐさも、工藤新一そのもので、コナンは唖然とした。

(んな、バカな‼)

工藤新一はオレなのに、なんでここに——⁉

一瞬、パニックになりかけたが、

(あ……)

コナンはすぐにその正体に気づいた。

蘭は新一に駆け寄った。

「バカ！　どうしてたのよ⁉　連絡もしないで‼」

「ワリィワリィ。事件ばっかでさ。今夜もまたすぐに出かけなきゃならねェんだ」

新一の制服は雨で濡れていた。

「待ってて！　今、拭くもの持ってくるから！」

蘭はそう言うと事務所を出て、階段を駆け上がっていく。蘭が部屋に入るのを見届けた新一は、静かに階段を下りていった。

ビルを出た新一は、傘もささずに雨に濡れながら歩いていく。

「待てよ、怪盗キッド」

階段を下りてきたコナンが呼び止めた。

「まんまと騙されたぜ。まさかあの白鳥刑事に化けて、船に乗ってくるとはな……」

立ち止まった新一――怪盗キッドは、二本の指を口に入れて、ピイッと指笛を鳴らした。

すると、小五郎のデスクの上のカゴで休んでいた白い鳩が、開いた窓からバサバサと飛んできた。

その頃。目暮と高木は、警視庁の取り調べ室でスコーピオンこと浦思青蘭の取り調べを行っていた。

コンコンとドアがノックされて、大きなバッグを肩に掛けた白鳥が入ってくる。

「おお、白鳥君！　今回はお手柄だったな！」

目暮が労いの言葉をかけると、白鳥はきょとんと不思議そうな顔をした。

「なんのことです？　私はたった今、軽井沢から戻ってきたところですが……」


開いた窓から飛び出した白い鳩は、新一に扮した怪盗キッドの肩に止まった。

「お前、わかってたんだな。あの船の中で何か起きることを……」

コナンがたずねると、怪盗キッドはゆっくりと歩き出した。その左手を上げると、袖先から白鳩がポンッと現れた。その白鳩を肩に乗せ、右手を上げると、また白鳩が現れる。

「確信はなかったけどな。一応、船の無線電話は盗聴させてもらったぜ」

怪盗キッドは答えながら、次々と白鳩を出した。

「もう一つ」とコナンが言った。

「お前がエッグを盗もうとしたのは、本来の持ち主である夏美さんに返すためだった。お前はあのエッグを作ったのが香坂喜市さんで、『世紀末の魔術師』と呼ばれていたことを知っていた。だから、あの予告状に使ったんだ」

次々と出した白鳩を肩に止まらせていく怪盗キッドは、「ほーお」と声を上げた。

「他に何か気づいたことは？」

訊かれたコナンが、ニヤリと笑みをもらす。

「夏美さんのひいおばあさんが、ニコライ皇帝の三女、マリアだったってこと言ってんのか？」

白鳩を指に止まらせた怪盗キッドは、ピクリと眉を動かした。コナンが話を続ける。

「マリアの遺体は見つかっていない。それは、銃殺される前に喜市さんに助けられ、日本へ逃れたから。二人の間には愛が芽生え、赤ちゃんが生まれた……。しかし、その直後に彼女は亡くなった。喜市さんは、ロシアの革命軍からマリアの遺体を守るために、彼女が持ってきた宝石を売って城を建てた。だが、ロシア風の城ではなくドイツ風の城にしたのは、彼女の母親のアレクサンドラ皇后がドイツ人だったからだ」

コナンが話しているうちにも白鳩はどんどん増えて、怪盗キッドの背中を覆いつくしていく。

「こうしてマリアの遺体は、エッグと共に秘密の地下室に埋葬された。そしてもう一個のエッグには、城の手がかりを残した。子孫が見つけてくれることを願ってな……。とまあ、こう考えてみれば、すべての謎が解ける」

コナンが言い終えると、怪盗キッドはさらに白鳩を増やしながら振り返った。

「キミに一つ助言させてもらうぜ。世の中には謎のままにしといた方がいいこともある、ってな」

「確かに、この謎は謎のままにしといた方がいいのかもしれねェな……」

コナンも怪盗キッドと同じ気持ちだった。城の地下室に眠る遺骨がマリアだと世間に知られたら、エッグの所有権を放棄したロシアも黙っていないだろう。

「じゃあ、この謎は解けるかな？　名探偵」

全身を白鳩で覆った怪盗キッドが、コナンをチラリと見た。

「なぜオレが工藤新一の姿で現れ、厄介な敵であるキミを助けたのか……」

そのとき、階段を駆け下りる音がした。蘭がタオルや着替えを抱えて階段を下りてくる。

「新一ーッ！」

蘭がビルから出てくると同時に、怪盗キッドはパチンと指を鳴らした。

怪盗キッドを覆いつくしていた白鳩が一斉に飛び立ったかと思うと、そこにもう姿はなかった。

「……え!?」

ビルから出てきた蘭は、雨空を飛んでいく大量の白鳩を見上げた。

並んで雨空を見上げる二人の元に、白い羽がはらはらと舞い落ちる。

（バーロ。ンなもん、謎でもなんでもねェよ）

コナンは心の中でつぶやきながら、落ちてきた白い羽をつかんだ。

（お前がオレを助けたのは、コイツを手当てしたお礼……だろ？）

降りしきる雨の中、二人は白鳩の一群が小さくなって夜空に消えていくのを見届けた。

怪盗キッドが新一になりすまして現れたことで、蘭のコナンに対する疑念はすっかり消えたようだった。

「もう！　どうして引き留めてくれなかったのよ、コナン君！」

事務所に戻るなり、蘭はコナンを責めた。

「でもォ、新一兄ちゃん、また来るって」

コナンがごまかすように言うと、蘭は不機嫌そうにフンと鼻を鳴らした。

「いいわ。今度会ったときには……」

そう言って、持っていたタオルをバサッと上に投げる。

「やあああ！　ふうううッ！」

雄叫びと共に、目の前に落ちてきたタオルに手刀を二度振り下ろした。ズバッ、ズバッと三枚に切れたタオルが、「ひいっ！」と悲鳴を上げるコナンの頭に落ちてくる。

「こうしてやるんだから!!」

両腕を組んですごんでみせる蘭に、コナンはハハ……と苦笑いした。

（当分、元には戻れねーな、こりゃ……）

早く元に戻りたいような戻りたくないような、複雑な気持ちを抱えたコナンだった。

〔おわり〕

Shogakukan Junior Bunko

★小学館ジュニア文庫★

名探偵コナン 世紀末の魔術師

2022年 6 月 1 日　初版第 1 刷発行

著者／水稀しま
原作／青山剛昌
脚本／古内一成

発行人／吉田憲生
編集人／今村愛子
編集／伊藤 澄

発行所／株式会社　小学館
〒101-8001　東京都千代田区一ツ橋２－３－１
電話／編集　03-3230-5105
販売　03-5281-3555

印刷・製本／中央精版印刷株式会社

デザイン／石沢将人（ベイブリッジスタジオ）
校正／別府由紀子

Printed in Japan　ISBN 978-4-09-231417-7

★「小学館ジュニア文庫」を読んでいるみなさんへ★

この本の背にあるクローバーのマークに気がつきましたか？

オレンジ、緑、青、赤に彩られた四つ葉のクローバー。これは、小学館ジュニア文庫のマークです。そして、それぞれの葉の色には、私たちがジュニア文庫を刊行していく上で、みなさんに伝えていきたいこと、私たちの大切な思いがこめられています。

オレンジは愛。家族、友達、恋人。みなさんの大切な人たちを思う気持ち。まるでオレンジ色の太陽の日差しのように心を暖かにする、人を愛する気持ち。

緑はやさしさ。困っている人や立場の弱い人、小さな動物の命に手をさしのべるやさしさ。緑の森は、多くの木々や花々、そこに生きる動物をやさしく包み込みます。

青は想像力。芸術や新しいものを生み出していく力。立場や考え方、国籍、自分とは違う人たちの気持ちを思い、協力しあうことも想像の力です。人間の想像力は無限の広がりを持っています。まるで、どこまでも続く、澄みきった青い空のようです。

赤は勇気。強いものに立ち向かい、間違ったことをただす気持ち。くじけそうな自分の弱い気持ちに立ち向かうことも大きな勇気です。まさにそれは、赤い炎のように熱く燃え上がる心。

四つ葉のクローバーは幸せの象徴です。愛、やさしさ、想像力、勇気は、みなさんが未来を切りひらき、幸せで豊かな人生を送るためにすべて必要なものです。

体を成長させていくために、栄養のある食べ物が必要なように、心を育てていくためには読書がかかせません。みなさんの心を豊かにしていく本を一冊でも多く出したい。それが私たちジュニア文庫編集部の願いです。

みなさんのこれからの人生には、困ったこと、悲しいこと、自分の思うようにいかないことも待ち受けているかもしれません。どうか「本」を大切な友達にしてください。どんな時でも「本」はあなたの味方です。そして困難に打ち勝つヒントをたくさん与えてくれるでしょう。みなさんが「本」を通じ素敵な大人になり、幸せで実り多い人生を歩むことを心より願っています。

小学館ジュニア文庫編集部

★小学館ジュニア文庫★ ワクワク、ドキドキがいっぱいのラインナップ

〈大人気！「名探偵コナン」シリーズ〉

名探偵コナン　世紀末の魔術師

名探偵コナン　瞳の中の暗殺者
名探偵コナン　天国へのカウントダウン
名探偵コナン　迷宮の十字路
名探偵コナン　銀翼の奇術師
名探偵コナン　水平線上の陰謀
名探偵コナン　探偵たちの鎮魂歌
名探偵コナン　紺碧の棺
名探偵コナン　戦慄の楽譜
名探偵コナン　漆黒の追跡者
名探偵コナン　天空の難破船
名探偵コナン　沈黙の15分
名探偵コナン　11人目のストライカー
名探偵コナン　絶海の探偵

名探偵コナン　異次元の狙撃手

名探偵コナン　業火の向日葵
名探偵コナン　純黒の悪夢
名探偵コナン　から紅の恋歌
名探偵コナン　ゼロの執行人
名探偵コナン　紺青の拳
名探偵コナン　緋色の弾丸
名探偵コナン　ハロウィンの花嫁

ルパン三世VS名探偵コナン　THE MOVIE

名探偵コナン　江戸川コナン失踪事件　史上最悪の二日間
名探偵コナン　コナンと海老蔵　歌舞伎十八番ミステリー
名探偵コナン　エピソード"ONE"　小さくなった名探偵
名探偵コナン　紅の修学旅行

名探偵コナン　大怪獣ゴメラVS仮面ヤイバー

名探偵コナン　ブラックインパクト！　組織の手が届く瞬間

小説　名探偵コナン　CASE1〜4

名探偵コナン　安室透セレクション　ゼロの推理劇

名探偵コナン　怪盗キッドセレクション　月下の予告状

名探偵コナン　京極真セレクション　蹴撃の事件録

名探偵コナン　赤井秀一セレクション　赤と黒の攻防

名探偵コナン　赤井一家セレクション　緋色の推理記録

名探偵コナン　世良真純セレクション　異国帰りの転校生

名探偵コナン　赤井秀一緋色の回顧録セレクション　狙撃手の極秘任務

名探偵コナン　黒ずくめの組織セレクション　黒の策略

名探偵コナン　警察セレクション　命がけの刑事たち

まじっく快斗1412　全6巻

★小学館ジュニア文庫★ ワクワク、ドキドキがいっぱいのラインナップ

〈ジュニア文庫でしか読めないおはなし！〉

愛情融資店まごころ　全3巻
アイドル誕生！　～こんなわたしがAKB48に!?～
アズサくんには注目しないでください！
あの日、そらですきをみつけた
いじめ　14歳のMessage
1話3分　こわい家、あります。　くらやみくんのブラックリスト
1話3分　こわい家、あります。　くらやみくんのブラックリスト　2
1話3分　こわい家、あります。　くらやみくんのブラックリスト　3

おいでよ、花まる寮！
お悩み解決！　ズバッと同盟　全2巻
緒崎さん家の妖怪事件簿　全4巻
彼方からのジュエリーナイト！

華麗なる探偵アリス&ペンギン
華麗なる探偵アリス&ペンギン　ワンダー・チェンジ！
華麗なる探偵アリス&ペンギン　ミラー・ラビリンス
華麗なる探偵アリス&ペンギン　サマー・トレジャー
華麗なる探偵アリス&ペンギン　トラブル・ハロウィン
華麗なる探偵アリス&ペンギン　ペンギン・パニック！
華麗なる探偵アリス&ペンギン　ミステリアス・ナイト
華麗なる探偵アリス&ペンギン　アリスVS.ホームズ！
華麗なる探偵アリス&ペンギン　アラビアン・デート
華麗なる探偵アリス&ペンギン　パーティ・パーティ
華麗なる探偵アリス&ペンギン　ホームズ・イン・ジャパン
華麗なる探偵アリス&ペンギン　ウィッチ・ハント！
華麗なる探偵アリス&ペンギン　ファンシー・ファンタジー
華麗なる探偵アリス&ペンギン　リトル・リドル・アリス
華麗なる探偵アリス&ペンギン　ゴースト・キャッスル
華麗なる探偵アリス&ペンギン　ウエルカム・ミラーランド
華麗なる探偵アリス&ペンギン　ウィッシュ・オン・ザ・スターズ
華麗なる探偵アリス&ペンギン　ダンシング・グルメ
華麗なる探偵アリス&ペンギン　ペンギン・ウォンテッド！

ギルティゲーム　全6巻
銀色☆フェアリーテイル　全3巻
ぐらん×ぐらんぱ！　スマホジャック　全2巻
ここはエンゲキ特区！
さくら×ドロップ　レシピ1：チーズハンバーグ
ちえり×ドロップ　レシピ1：マカロニグラタン
みさと×ドロップ　レシピ1：チェリーパイ
さよなら、かぐや姫　～月とわたしの物語～
12歳の約束
女優猫あなご
白魔女リンと3悪魔　全10巻
世界中からヘンテコリン!?　世にも不思議なおみやげ図鑑　メキシコ&フィンランド編

世界の中心で、愛をさけぶ
絶滅クラス！　～暴走列車から脱出しろ！～

ぜんぶ、藍色だった。
そんなに仲良くない小学生4人は
謎の島を脱出できるのか!?
探偵ハイネは予言をはずさない
探偵ハイネは予言をはずさない ハウス・オブ・ホラー

転校生 ポチ崎ポチ夫
天才発明家ニコ&キャット 全2巻
TOKYOオリンピック はじめて物語
謎解きはディナーのあとで 全3巻
猫占い師とこはくのタロット

のぞみ、出発進行!!

はろー！ マイベイビー
はろー！ マイベイビー2

パティシエ志望だったのに、シンデレラのいじわるな姉に生まれ変わってしまいました！
大熊猫ベーカリー パンダと私の内気なクリームパン！
大熊猫ベーカリー 盗まれたひみつのレシピ
姫さまですよねっ!? 姫さまVS.暴君殿さまVS.忍者 大坂城は大さわぎ！

ホルンペッター
ぼくたちと駐在さんの700日戦争 ベスト版 闘争の巻
ミラクルへんてこ小学生 ポチ崎ポチ夫
メチャ盛りユーチューバーアイドルいおん☆
メデタシエンド。 全2巻

ゆめ☆かわ ここあのコスメボックス 全6巻
夢は牛のお医者さん
4分の1の魔女リアと真夜中の魔法クラス まさかの魔法使いデビュー！
4分の1の魔女リアと真夜中の魔法クラス ひとりぼっちの魔法バトル！
リアル鬼ごっこ リプレイ
リアル鬼ごっこ セブンルールズ

レベル1で異世界召喚されたオレだけど、攻略本は読みこんでます。
レベル1で異世界召喚されたオレだけど、なぜか新米魔王やってます
わたしのこと、好きになってください。

★小学館ジュニア文庫★ ワクワク、ドキドキがいっぱいのラインナップ

〈みんな読んでる「ドラえもん」シリーズ〉

小説 映画ドラえもん のび太の宝島

小説 映画ドラえもん のび太の月面探査記

小説 映画ドラえもん のび太の新恐竜

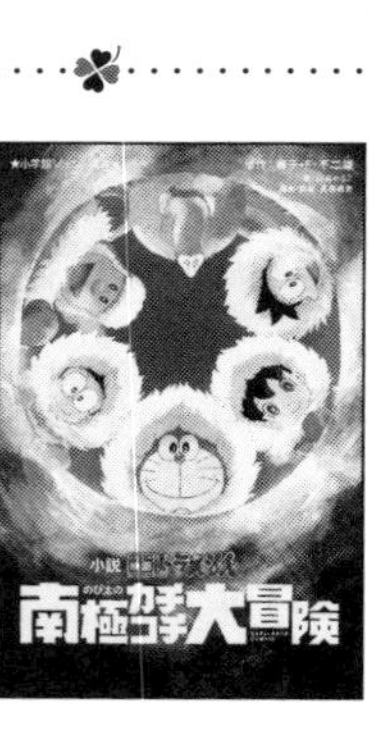

小説 映画ドラえもん のび太の南極カチコチ大冒険

小説 映画ドラえもん のび太の宇宙英雄記

小説 映画ドラえもん のび太の宇宙小戦争 2021

小説 STAND BY ME ドラえもん

小説 STAND BY ME ドラえもん 2

ドラえもん 5分でドラ語り ことわざひみつ話

ドラえもん 5分でドラ語り 四字熟語ひみつ話

ドラえもん 5分でドラ語り 故事成語ひみつ話

〈大好き! 大人気まんが原作シリーズ〉

小説 アオアシ1

ある日 犬の国から手紙が来て
いじめ―いつわりの楽園―
いじめ―学校という名の戦場―
いじめ―引き裂かれた友情―
いじめ―過去へのエール―
いじめ―うつろな絆―
いじめ―友だちという鎖―
いじめ―行き止まりの季節―
いじめ―闇からの歌声―
いじめ―勇気の翼―
いじめ―希望の歌を歌おう―
いじめ―女王のいる教室―
エリートジャック!! 全4巻
エリートジャック!! 相川ユリアに学ぶ 毎日が絶対ハッピーになる100の名言

おはなし! コウペンちゃん 全2巻
おはなし 猫ピッチャー 全2巻
学校に行けない私たち
思春期♡革命 ～カラダとココロのハジメテ～
12歳。 アニメノベライズ ～ちっちゃなムネのトキメキ～ 全8巻
小説 そらペン 謎のガルダ帝国大冒険
ショコラの魔法 全5巻
ないしょのつぼみ 全2巻
ナゾトキ姫 全3巻
小説 二月の勝者 ―絶対合格の教室―
小説 二月の勝者 ―絶対合格の教室― 春夏の陣 秋の陣

人間回収車 ～地獄からの使者～
人間回収車 ～絶望の果て先～
人間回収車 ～転落の闇路～
ヒミツの王子様★ 恋するアイドル!
ふなっしーの大冒険 きょうだい集結! 梨汁ブシャーッに気をつけろ!!

〈背筋がゾクゾクするホラー&ミステリー〉

恐怖学校伝説
恐怖学校伝説 絶叫怪談
こちら魔王110番!
リアル鬼ごっこ
ニホンブンレツ(上)(下)
ブラック

〈時代をこえた面白さ!! 世界名作シリーズ〉

小公女セーラ
小公子セドリック
トム・ソーヤの冒険
フランダースの犬
オズの魔法使い
坊っちゃん
家なき子
あしながおじさん
赤毛のアン(上)(下)
ピーターパン
宝島

★小学館ジュニア文庫★ ワクワク、ドキドキがいっぱいのラインナップ

〈思わずうるうる…感動ストーリー〉

奇跡のパンダファミリー ～愛と涙の子育て物語～

きみの声を聞かせて 猫たちのものがたり―まぐ・ミクロ・まる―

こむぎといつまでも―余命宣告を乗り越えた奇跡の猫ものがたり―

天国の犬ものがたり～ずっと一緒～

天国の犬ものがたり～わすれないで～

天国の犬ものがたり～未来～

天国の犬ものがたり～夢のバトン～

天国の犬ものがたり～ありがとう～

天国の犬ものがたり～天使の名前～

天国の犬ものがたり～僕の魔法～

天国の犬ものがたり～笑顔をあげに～

天国の犬ものがたり～はじめまして～

天国の犬ものがたり～扉のむこう～

天国の犬ものがたり～幸せになるために～

天国の犬ものがたり～ＨＯＭＥ ホーム～

天国の犬ものがたり～いつも一緒～

動物たちのお医者さん

わさびちゃんとひまわりの季節

〈この人の人生に感動！人物伝〉

井伊直虎 ～民を守った女城主～

西郷隆盛 敗者のために戦った英雄

杉原千畝

ルイ・ブライユ 暗闇に光を灯した十五歳の点字発明者

〈発見いっぱい！ 海外のジュニア小説〉

JCオリヴィアのプリティ・プリンセス日記

JCオリヴィアのプリティ・プリンセス日記

シャドウ・チルドレン1 絶対に見つかってはいけない

シャドウ・チルドレン2 絶対にだまされてはいけない

まほう少女キティ

まほう少女キティ ひとりぼっちのシャドウ